MW00803558

Introduction to Kanji

漢字マスターN5

日本語能力試験N5レベル

アークアカデミー編著

三修社

本書をお使いのかたへ

1．はじめに

本書は、日本語を学ぶかたが、ひらがな、カタカナの習得を経て、日本語の３つ目の文字である漢字を楽しみながらしっかりと学ぶことを目指して作成されました。「漢字マスターシリーズ」を使って学習を進めると、N5～N1の全シリーズ修了時には、2010年11月30日告示の「改定常用漢字表」一覧に掲載された2136字と、その他に使用頻度が高いと思われる表外字14字を加えた2150字が習得できます。

本シリーズは、漢字とともに多くの語彙や慣用句も一緒に習得できるように作られています。提示した語例や例文は、日常生活の中で身近に接することが多いものをとりあげました。漢字そのものの学習と共に、生活の中でよく使われることばや表現を増やすことが可能です。また、非漢字圏のかたにも学びやすいように、漢字には全てルビを振りました。プレッシャーを感じることなく漢字の能力を伸ばすことができるでしょう。

2．本書の構成

本書には漢字学習の土台となる118字を掲載しました。配列は、基本となる漢字から組み合わせてできる漢字へと難易度を高めました。

＊ 絵からできた象形文字（例：2章、3章）
＊ 記号から出来た指事文字（例：5章）
＊ 意味と意味を組み合わせて作った会意文字（例：11章）
＊ 音が漢字の一部分に残っている形声文字（例：学、校、先…）

また、それぞれの章はカテゴリー別に分類し、巻末には、漢字の成り立ちがよくわかるように「ノート」としてまとめてあります。さらに、初めて漢字に触れることを考慮し、イラストを多用しました。

3．学習方法

まず、「漢字学習を始めるにあたって」を読んで、漢字学習のポイントを確認してください。学習中にも確認し、字形、筆順を常に意識するようにしましょう。

原則としてひとつの章は7～8文字、1ページは2文字です。たとえば、1日1～2ページ、1日1

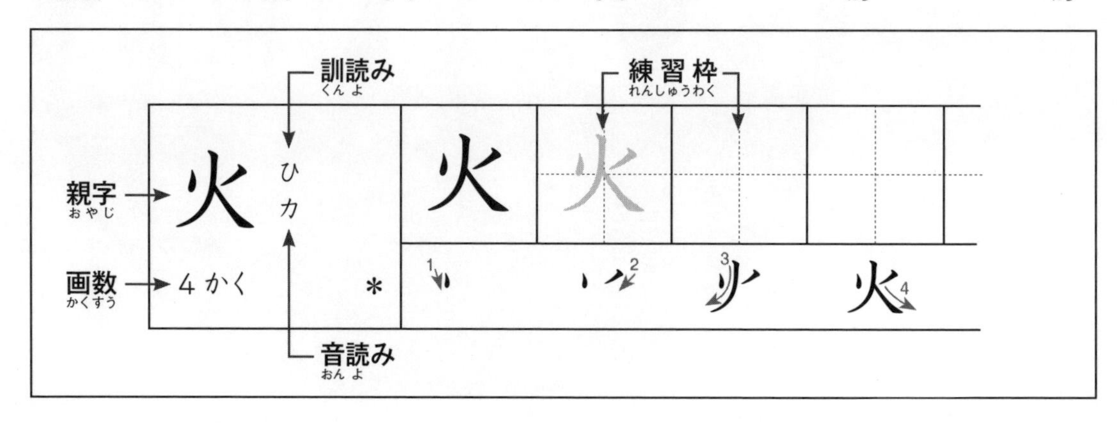

章のように計画をたてて効率的に学習しましょう。本書に掲載した漢字はN4レベルに進む前に必ずマスターすることを目指してください。

(1) 学習漢字

漢字を学習する際の手順例を下に示します。

① 導入イラストを利用してその章にどんな漢字があるのか理解します。

② 新しく学ぶ親字の横にある、訓読み・音読みを確認します。読みは、改定常用漢字表に掲載されているもののうち、N5レベルにふさわしいものを示しました。難易度が高いと判断した読みを持つ漢字には*をつけ、巻末の「そのほかの　よみかた」にまとめました。

③ 親字の下にある画数を確認します。

④ 筆順の矢印のとおりに視写を繰り返し、正しい字形を覚えます。枠からはみ出ないように書きましょう。

⑤「漢字を読みましょう」と「漢字を書きましょう」の問題に進みます。例文には、字義に加え、広く使われている日本語のテキストに提出されていることばを配列しましたので、必ず練習しましょう。

(2) 学習の流れ

意味、読み、正しい書き方を1文字ずつ着実に覚えます。その後、学習した漢字の定着度を確認するために1章ごとの復習を解きます。確認や苦手な漢字の発見に活用してください。学習に変化をつけ、楽しく学べるようにクイズもあります。宿題やテスト等に活用してください。

また、アチーブメントテストを5章ごとに用意しましたので、自身のレベルチェックに利用してください。目次には、理解度の把握のためにチェック欄 ☑、および学習日欄（　／　）をつけました。独学の場合も授業で取り扱う場合も、学習計画や定着度確認等に役立ててください。

皆様の漢字学習が成功することを執筆者一同心から願っています。

2011年10月　アークアカデミー

「漢字マスターシリーズ」

①「かなマスター」 (Mastering KANA in 12 days with pronunciation and vocabulary)

②「漢字マスターN5」 (Introduction to Kanji)

③「漢字マスターN4」 (Kanji for beginners)

④「漢字マスターN3」 (Kanji for intermediate level)

⑤「漢字マスターN2」 (Kanji for high-intermediate level)

⑥「漢字マスターN1」 (Kanji for advanced level)

For Users of Textbook

1. Introduction

This textbook has been prepared for students who had mastered hiragana and katakana to learn and enjoy the process of learning kanji, the third group of characters in Japanese. By using "Kanji Master Series," students will learn 2,136 characters listed in the "Revised Joyo (Daily-use) Kanji List" released on November 30, 2010, or 2,150 characters including additional 14 characters that are considered to have high-frequency of use but not listed in the Revised Joyo (Daily-use) Kanji List, upon completion of N5-N1 series.

This series is structured so that students can learn rich vocabulary and idioms as well as kanji. Sample words and sentences given in the textbook are selected from daily and familiar scenes. Students can acquire words and expressions commonly used in daily life as they learn kanji characters themselves. For those who are from non-kanji regions, all the kanji in the textbook have ruby for easy learning. We believe that students can grow their ability in kanji without feeling overwhelmed.

2. Organization of Textbook

The textbook covers 118 characters that form a foundation for kanji learning. Characters are listed according to their origins in ascending order of difficulty, from ones that provide a base for kanji writing to ones that consist of radicals for other characters.

-Pictographs originated from pictures (e.g. Chapters 2 and 3)

-Logograms made from symbols (e.g. Chapter 5)

-Compound ideographs consisted of parts representing certain meanings (e.g. Chapter 11)

Phonetic-ideographs that include pronunciation as a part of a letter (e.g. 学 , 校 , 先 , etc.)

Each chapter is categorized. In addition, the making of kanji is included at the end of the textbooks as **Note**. We have put many illustrations for students, who are studying for their first time, to enjoy their studies.

3. Method of Learning

At first, read carefully "To Start Your Kanji Learning" and check the elements to learn kanji. Check them again while learning and always pay attention to letterforms and stroke orders.

In principle, each chapter contains seven to eight characters, with two characters per page. It is recommended to make an efficient study plan, such as one to two pages a day or

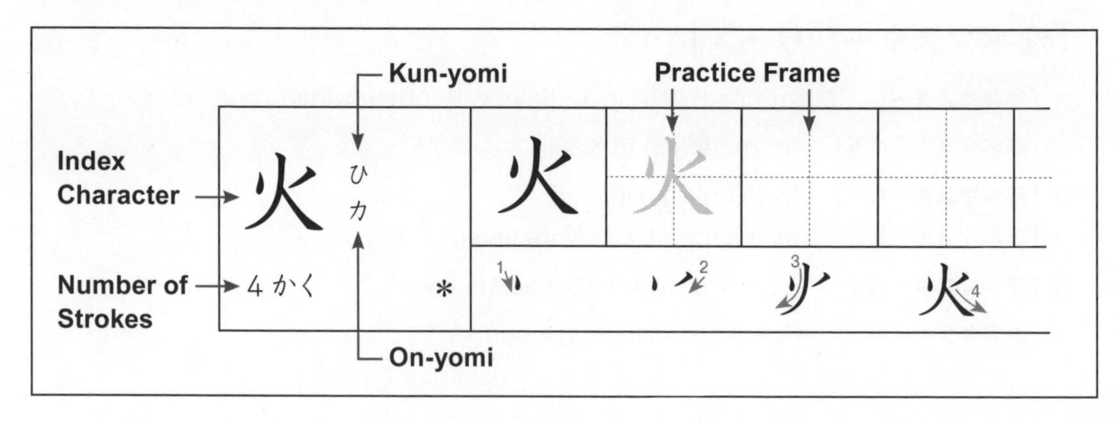

one chapter a day. Students should aim for mastering kanji listed in the textbook before they proceed to N4 Level.

(1) Studying Kanji

The following example shows the procedure to study kanji.

① Understand what kind of kanji are included in a particular chapter by using its introductory illustration.

② Check Kun-yomi and On-yomi of a new index letter, written next to it. The appropriate Kun/On-yomi for N5 Level is selected from the Revised Joyo (Daily-use) Kanji List. Readings of characters that are considered difficult are indicated by * and organized as a chart "Other Ways of Readings" in the end of the textbook.

③ Check the number of strokes indicated under the index kanji.

④ Repeat copying the kanji character, following arrows that show the stroke order, to learn the correct form of the character. Please pay attention not to run off the frame.

⑤ Proceed to exercises provided in "Let's Read Kanji" and "Let's Write Kanji." The sample sentences include the meanings of characters as well as words used in widely-used Japanese textbooks. Please make sure to practice those sentences.

(2) Study Flow

First, students will learn the meaning and readings of each kanji character and the correct way of writing step by step. Then students will solve Review in each chapter in order to check the retention of studied characters. Please use Review for checking the level of learning as well as finding kanji that is difficult to learn. The textbook also provides Quizzes to give variation to learning and fun activities. Please use Quizzes for homework and tests.

Achievement Tests are provided every five chapters for checking the level of learning. Tables have check columns ☑ and study date columns (　／　) for tracking the level of understanding. Please make use of these columns for study planning or checking retention levels whether you are studying on your own or in a class-room setting.

We wish you the very best for your success in kanji learning.

October, 2011 Arc Academy

Kanji Master Series

①「かなマスター」(Mastering KANA in 12 days with pronunciation and vocabulary)

②「漢字マスターN5」(Introduction to Kanji)

③「漢字マスターN4」(Kanji for beginners)

④「漢字マスターN3」(Kanji for intermediate level)

⑤「漢字マスターN2」(Kanji for high-intermediate level)

⑥「漢字マスターN1」(Kanji for advanced level)

漢字学習（かんじがくしゅう）を始（はじ）めるにあたって

漢字学習（かんじがくしゅう）は、漢字（かんじ）の意味（いみ）と読（よ）み方（かた）（音訓（おんくん））、字形（じけい）（正（ただ）しい筆順（ひつじゅん））、画数（かくすう）の習得（しゅうとく）がポイントです。

1．訓読（くんよ）みと音読（おんよ）み

漢字（かんじ）の読（よ）み方（かた）には、訓読（くんよ）みと音読（おんよ）みがあります。

・訓読（くんよ）み：日本語（にほんご）の意味（いみ）がふくまれています。ひらがなで書（か）きます。

・音読（おんよ）み：中国（ちゅうごく）の読（よ）みかたをもとに読（よ）みます。カタカナで書（か）きます。

2．送（おく）りがな

日本語（にほんご）を文字（もじ）であらわす場合（ばあい）、「見（み）る」「新（あたら）しい」のようなことばは、漢字（かんじ）とひらがなを使（つか）って書（か）きます。ひらがなで書（か）く部分（ぶぶん）を「送（おく）りがな」といいます。

語幹（ごかん）	語尾（ごび）（送（おく）りがな）	語幹（ごかん）	語尾（ごび）（送（おく）りがな）
見（み）	る	新（あたら）	しい
見（み）	ます	新（あたら）	しく
見（み）	た	新（あたら）	しかった

3．画数（かくすう）

漢字（かんじ）は、たくさんの線（せん）で書（か）きます。たとえば、「口（くち）」という漢字（かんじ）は、「1丨」、「2𠃌」、「口3」のように三本（さんぼん）の線（せん）で書（か）きます。これは「3画（かく）」です。これを「画数（かくすう）」といいます。

4．筆順（ひつじゅん）

筆順（ひつじゅん）は正確（せいかく）で整（ととの）った字（じ）を書（か）くためのものです。基本（きほん）のルールを覚（おぼ）えたら、正（ただ）しい形（かたち）の漢字（かんじ）を書（か）くことができます。

名称	てん	よこ	たて	はらい	おれ	まがり	はね	とめ
例	、	ー	丨	八	国	花	亅	木

ルール1　上（うえ）から下（した）へ

A：上（うえ）の点画（てんかく）から　　例（れい）；三、言

B：上（うえ）の部分（ぶぶん）から　　例（れい）；金、字

明	日	山	へ	行	き	ま	す

ルール2　左（ひだり）から右（みぎ）へ

A：左（ひだり）の点画（てんかく）から　　例（れい）；川、学

B：左（ひだり）の部分（ぶぶん）から　　例（れい）；竹、外

学	生	が	三	人	い	ま	す

（参考）「新しい国語表記ハンドブック第六版」（2011，三省堂）

To Start Your Kanji Learning

The important points of acquiring kanji are meanings and readings (On/Kun), forms (correct stroke orders) and the number of strokes.

1. On and Kun-yomi

Kanji have On and Kun-yomi (Japanese and Chinese readings).

-Kun-yomi represents meanings in Japanese; written in hiragana.

-On-yomi is pronounced based on Chinese; written in katakana.

2. Declensional Kana Endings

When describing Japanese with letters and characters, words such as " 見(み)る " and " 新(あたら)しい " are written using kanji and hiragana. The part that forms the base of a word is called a "root" and written with kanji. The part conjugated is called a "declensional kana ending" and written with hiragana.

Root	Declensional Ending	Root	Declensional Ending
見(み)	る	新(あたら)	しい
見(み)	ます	新(あたら)	しく
見(み)	た	新(あたら)	しかった

3. Number of Strokes

Kanji is written with many lines. For example, a character " 口(くち) " consists of three lines, " 丨 ," " ㇆ " and " 口 ." That is, this kanji character has "three strokes."

This is called the "number of strokes."

4. Stroke Order

A stroke order is for writing accurate and beautiful characters. By remembering basic rules, you can write kanji in a correct form.

Name	Ten	Yoko (horizontal stroke)	Tate (vertical stroke)	Harai	Ore	Magari	Hane	Tome
Example	、	一	丨	八	国	花	亅	本

Rule 1: From top to bottom

A: From the Ten stroke on the top

Example: 三 , 言

B: From the stroke on the top

Example: 金 , 字

明	日	山	へ	行	き	ま	す

Rule 2: From left to right

A: From the Ten stroke on the left

Example: 川 , 学

B: From the stroke on the left

Example: 竹 , 外

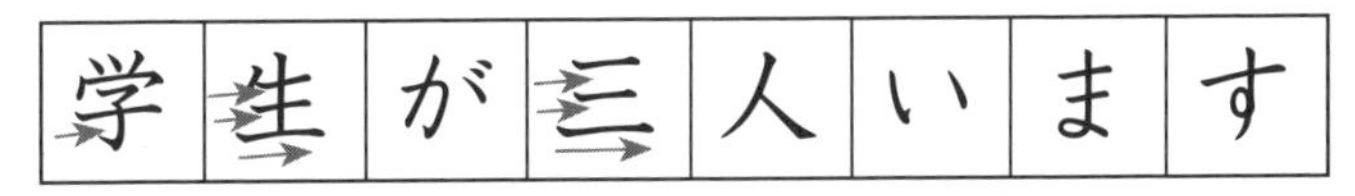

Reference: Sanseido Publishing, 2011. Atarashii Kokugo Hyoki Handobukku, Ver. 6. (New Handbook for Japanese Notation, Ver. 6)

漢字マスター N5 目次

1章 しょう すうじ

すうじの　かんじを　べんきょうします。
Let's study the Kanji of numbers.

万

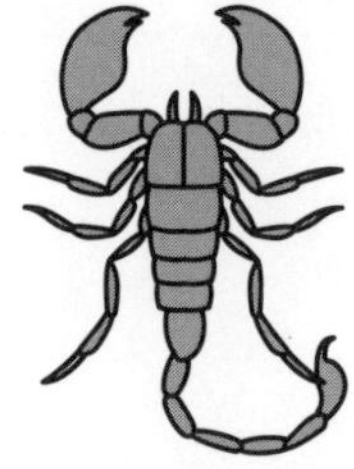

円

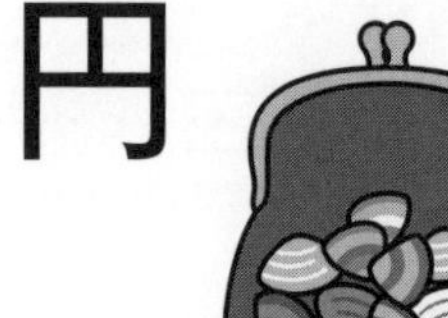

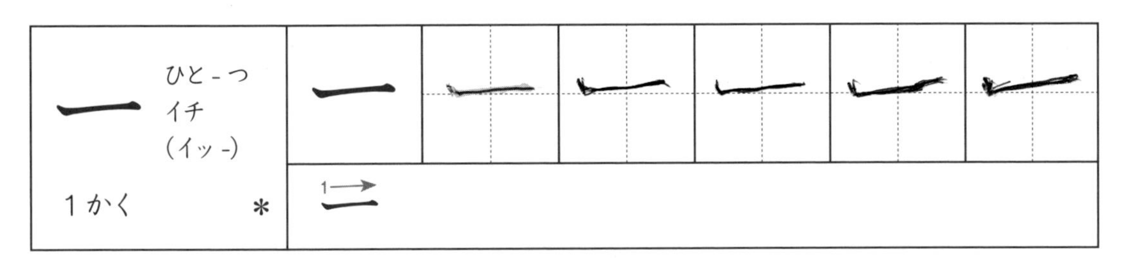

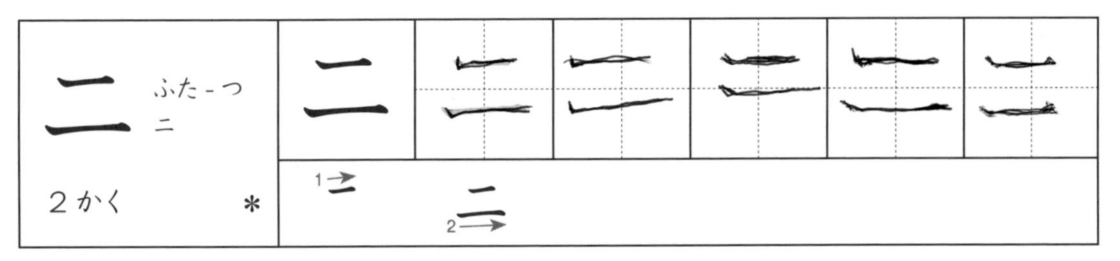

◆ かんじを　よみましょう

① サンドイッチを　一つと　コーヒーを　二つ　おねがいします。
（ ひと つ）　（ ふた つ）

② 80えんの　きってを　一まい　ください。
（ ひと まい）

③ 一がつは　なんにち　ありますか。
（イチ　がつ）

④ 一にちに　ビールを　一ぽん　のみます。
（　　にち）　（いち　ぽん）

⑤ うちに　パソコンが　二だい　あります。
（に　だい）

◆ かんじを　かきましょう

① ひとつ	（ 一　つ）	② いちまい	（ 一　まい）
③ いちにち	（ 一　にち）	④ いっこ	（ 一　こ）
⑤ いっぽん	（ 一　ぽん）	⑥ ふたつ	（ 二　つ）
⑦ にかい	（ 二　かい）	⑧ にがつ	（ 二　がつ）

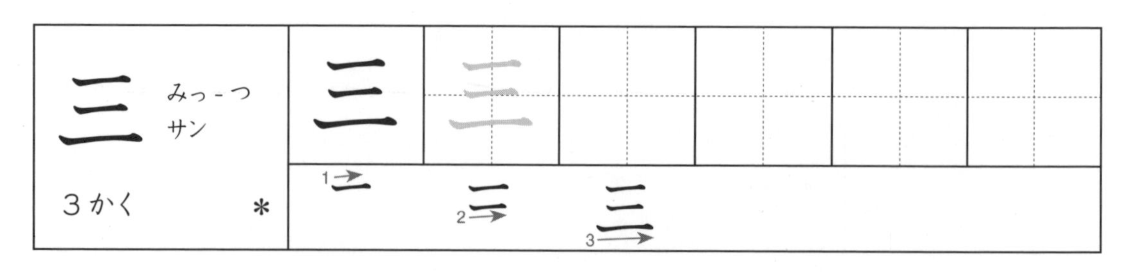

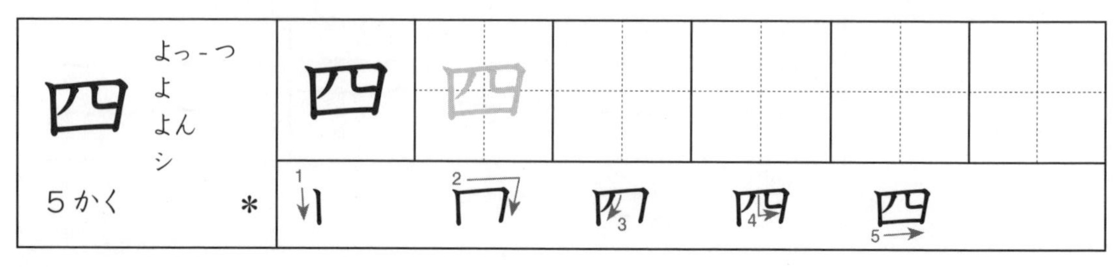

◆ かんじを　よみましょう

① レモンを　三つと　りんごを　四つ　かいます。
（　　つ）　（　　つ）

② さいふに　一まんえんさつが　三まい　あります。
（　　まんえんさつ）（　　まい）

③ 一にちに　四じかん　べんきょうを　します。
（　　にち）（　　じかん）

④ えんぴつを　四ほん　かいました。
（　　ほん）

⑤ 四がつに　にゅうがくしきが　あります。
（　　がつ）

◆ かんじを　かきましょう

① みっつ　（　　つ）　② さんまい　（　　まい）

③ さんぼん　（　　ぼん）　④ さんさい　（　　さい）

⑤ よっつ　（　　つ）　⑥ よんほん　（　　ほん）

⑦ よじかん　（　　じかん）　⑧ しがつ　（　　がつ）

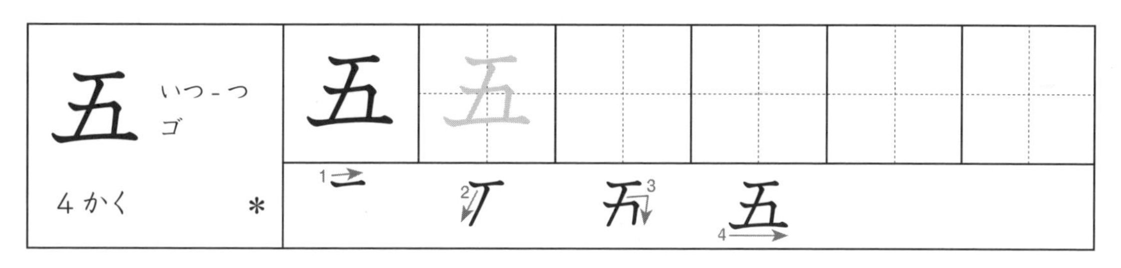

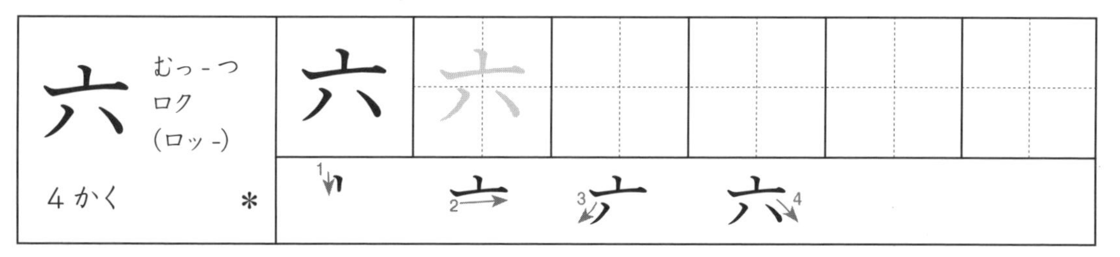

◆ かんじを　よみましょう

① スーパーで　トマトを　五つと　たまごを　六つ　かいました。
（　　つ）（　　つ）

② A：なんにん　かぞくですか。　B：五にん　かぞくです。
（　　にん）

③ 五がつは　やすみが　たくさん　あります。
（　　がつ）

④ 六がつは　あめが　おおいです。
（　　がつ）

⑤ A：そこに　ワインが　なんぼん　ありますか。　B：六ぽん　あります。
（　　ぽん）

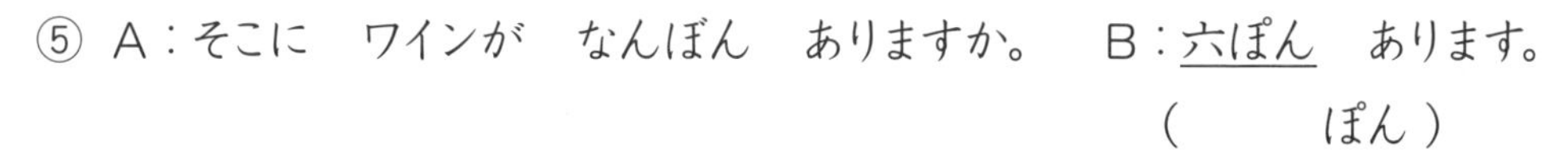

◆ かんじを　かきましょう

① いつつ　（　　つ）　② ごにん　（　　にん）

③ ごがつ　（　　がつ）　④ ごかい　（　　かい）

⑤ むっつ　（　　つ）　⑥ ろくがつ　（　　がつ）

⑦ ろっかい　（　　かい）　⑧ ろっぽん　（　　ぽん）

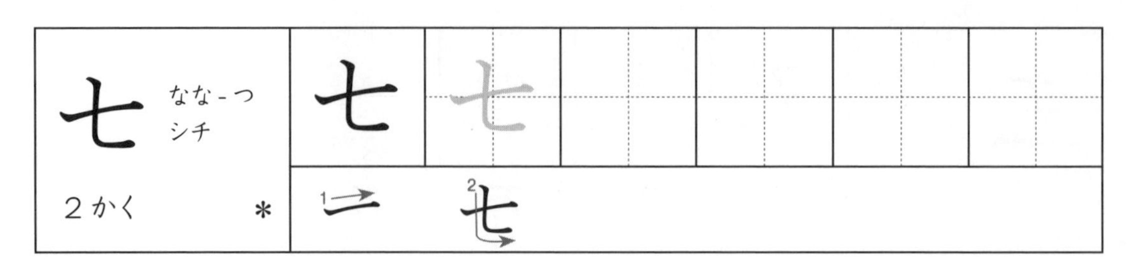

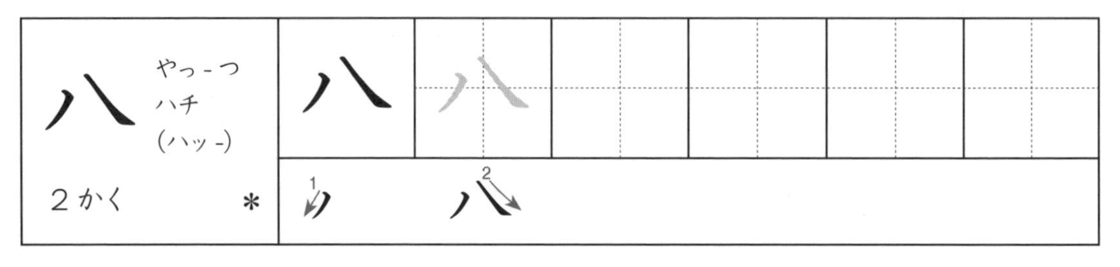

◆ かんじを　よみましょう

① みかんを　七つ　ください。
（　　　つ）

② 七がつに　たなばたが　あります。
（　　　がつ）

③「七五三」は　こどもの　おいわいです。
（　　　　　　）

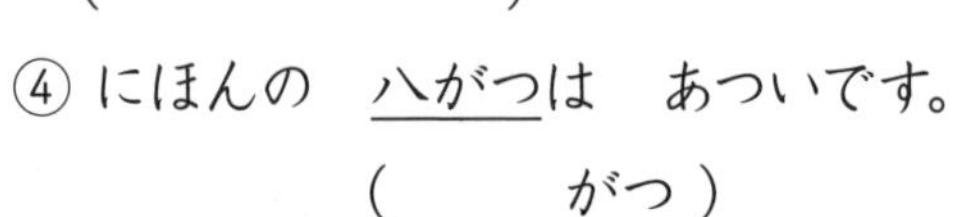

④ にほんの　八がつは　あついです。
（　　　がつ）

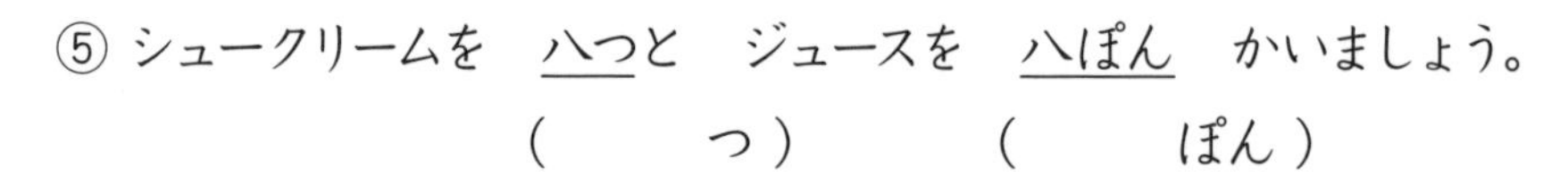

⑤ シュークリームを　八つと　ジュースを　八ぽん　かいましょう。
（　　　つ）　（　　　ぽん）

◆ かんじを　かきましょう

① ななつ	（　　　つ）	② ななかい	（　　　かい）
③ しちがつ	（　　　がつ）	④ しちごさん	（　　　）
⑤ やっつ	（　　　つ）	⑥ はちがつ	（　　　がつ）
⑦ はっぽん	（　　　ぽん）	⑧ はちまい	（　　　まい）

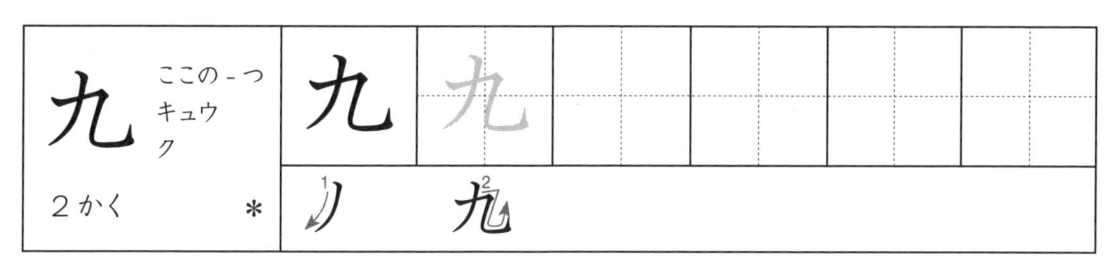

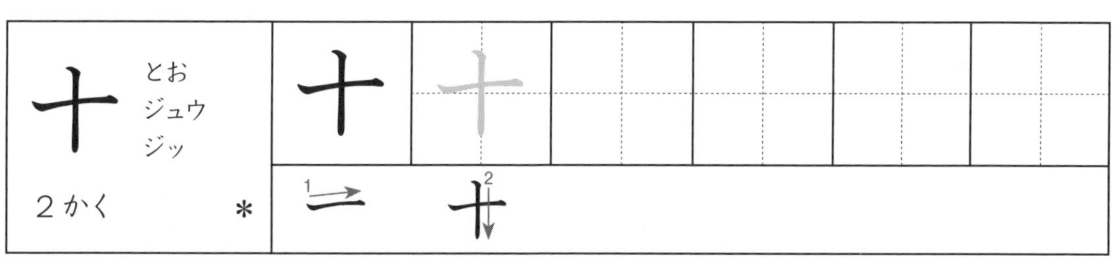

◆ かんじを　よみましょう

① きょうは　パーティーです。ケーキを　九つ　かいました。
（　　　つ）

② きのう　九じから　十じまで　テレビを　みました。
（　じ）（　　じ）

③ やきゅうは　九にんで　一つの　チームです。
（　　にん）（　　つ）

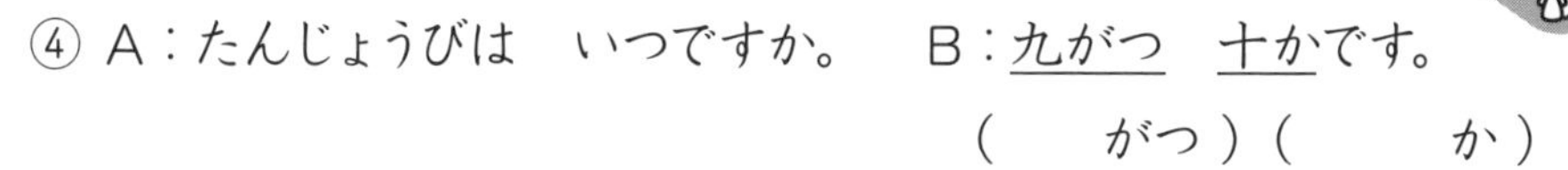

④ A：たんじょうびは　いつですか。　B：九がつ　十かです。
（　がつ）（　　か）

⑤ うちから　がっこうまで　でんしゃで　二十ぷんです。
（　　ぷん）

◆ かんじを　かきましょう

① ここのつ　（　　　つ）　② ここのか　（　　　か）

③ きゅうにん　（　　　にん）　④ くじ　（　　　じ）

⑤ とおか　（　　　か）　⑥ じゅうにん　（　　　にん）

⑦ じゅうじ　（　　　じ）　⑧ さんじっぷん　（　　　ぷん）

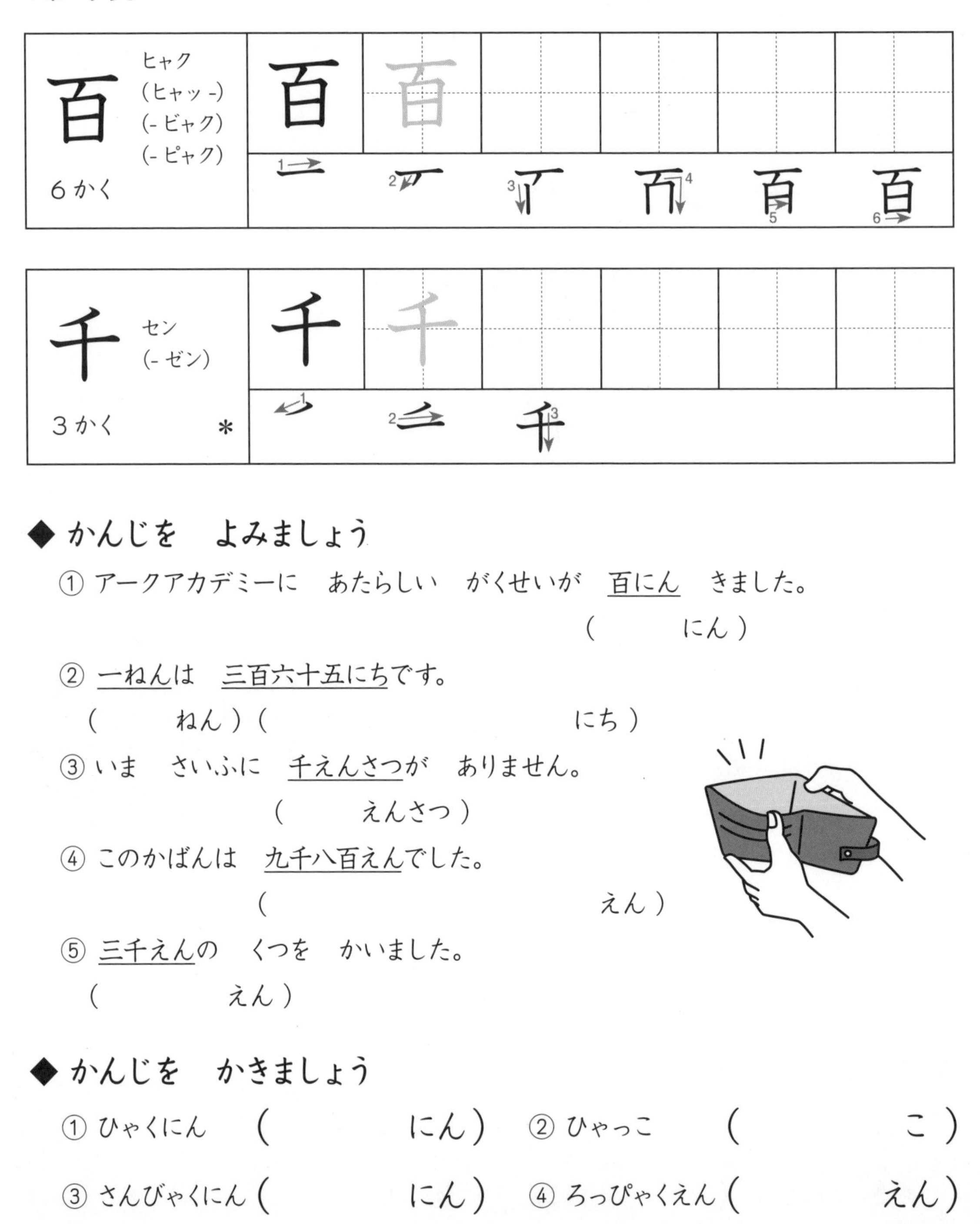

百 6かく	ヒャク (ヒャッ -) (- ビャク) (- ピャク)	百	百				

千 3かく	セン (- ゼン)	＊	千	千				

◆ かんじを　よみましょう

① アークアカデミーに　あたらしい　がくせいが　百にん　きました。
（　　　にん）

② 一ねんは　三百六十五にちです。
（　　　ねん）（　　　　　　　　にち）

③ いま　さいふに　千えんさつが　ありません。
（　　　えんさつ）

④ このかばんは　九千八百えんでした。
（　　　　　　　　えん）

⑤ 三千えんの　くつを　かいました。
（　　　　えん）

◆ かんじを　かきましょう

① ひゃくにん　（　　　にん）
② ひゃっこ　（　　　こ）
③ さんびゃくにん（　　　にん）
④ ろっぴゃくえん（　　　えん）
⑤ せんにん　（　　　にん）
⑥ はっせんえん（　　　えん）
⑦ さんびゃくろくじゅうごにち　（　　　　　にち）

万 マン 3かく ＊	万	万				
	一	丂	万			

円 エン 4かく ＊	円	円				
	丨	冂	冂	円		

◆ かんじを　よみましょう

① ○○だいがくは　がくせいが　一万九千にん　います。
（　　　　　　　　にん）

② わたしの　まちは　七百万にんの　ひとが　すんでいます。
（　　　　　　　　にん）

③ いま　一万円さつを　もっていますか。
（　　　　　　　　さつ）

④ A：このくるまは　いくらですか。　B：三百万円です。
（　　　　　　　　）

⑤ 五百ドルを　円に　かえてください。
（　　　　ドル）（　　　　）

◆ かんじを　かきましょう

① にまんにん（　　　　にん）　② ごひゃくまんにん（　　　　にん）

③ ひゃくえん（　　　　）　④ せんえん（　　　　）

⑤ いちまんえん（　　　　）　⑥ じゅうまんえん（　　　　）

⑦ ひゃくまんえん（　　　　）　⑧ いっせんまんえん（　　　　）

1章（しょう）　ふくしゅう

【1】かんじを　よみましょう。

1. すみません。みずを　三つ　ください。
2. つくえの　うえに　コップが　五つ　あります。
3. ペンを　一ぽん　かいました。
4. すみません。きってを　二まい　ください。
5. まいあさ　九じに　じゅぎょうが　はじまります。
6. でんしゃで　四十ぷん　かかります。
7. レストランは　七かいに　あります。
8. このふくは　三千円でした。
9. ここから　しぶやまで　四百円です。
10. がくせいが　三百にん　います。

1	つ
2	つ
3	ぽん
4	まい
5	じ
6	ぷん
7	かい
8	
9	
10	にん

【2】かんじを　かきましょう。

1. きのうは　よじかん　ねました。
2. しちごさんは　こどもの　おいわいです。
3. わたしは　アパートの　にかいに　すんでいます。
4. テーブルに　みかんが　むっつ　あります。
5. じゅうまんえんの　パソコンを　かいました。
6. パーティーの　かいひは　きゅうせんえんです。
7. サッカーは　じゅういちにんで　一つ（ひと）の　チームです。
8. かさたてに　かさが　はっぽん　あります。
9. このおべんとうは　ろっぴゃくえんでした。
10. いちにちに　二（に）じかん　にほんごを　べんきょうします。

1	じかん
2	
3	かい
4	つ
5	
6	
7	にん
8	ぽん
9	
10	にち

ひにちの　よみかた

12 がつ

SUN	MON	TUE	WED	THU	FRI	SAT
				1 ついたち	2 ふつか	3 みっか
4 よっか	5 いつか	6 むいか	7 なのか	8 ようか	9 ここのか	10 とおか
11 じゅう いちにち	12 じゅう ににち	13 じゅう さんにち	14 じゅう よっか	15 じゅう ごにち	16 じゅう ろくにち	17 じゅう しちにち
18 じゅう はちにち	19 じゅう くにち	20 はつか	21 にじゅう いちにち	22 にじゅう ににち	23 にじゅう さんにち	24 にじゅう よっか
25 にじゅう ごにち	26 にじゅう ろくにち	27 にじゅう しちにち	28 にじゅう はちにち	29 にじゅう くにち	30 さんじゅう にち	31 さんじゅう いちにち

1章（しょう） クイズ

【1】ちいさいほうから　ならべましょう。

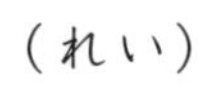

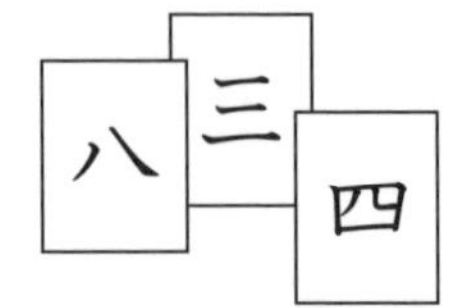

三 ＜ 四 ＜ 八

1.

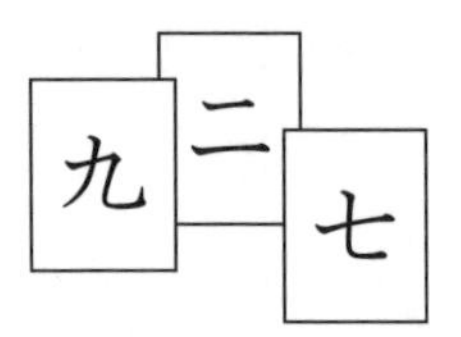

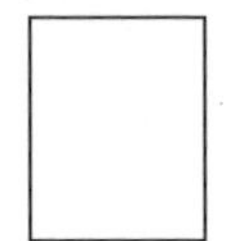 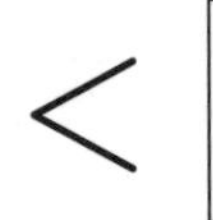  

□ ＜ □ ＜ □

2.

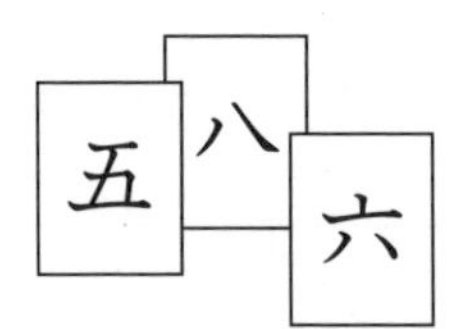

□ ＜ □ ＜ □

3.

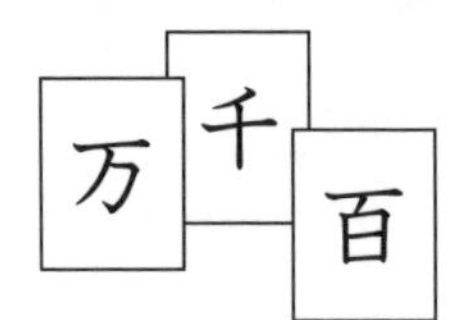

  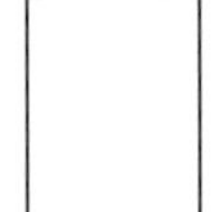 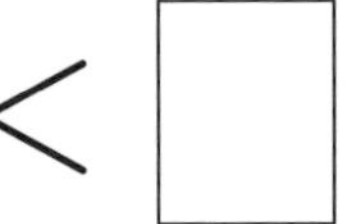

□ ＜ □ ＜ □

【2】かんじで　かずを　かぞえましょう。よみかたも　かきましょう。

（れい）

三 にん

〔 さん　にん 〕

1.

□ ぽん

〔　　　ぽん 〕

2.

□ だい

〔　　　だい 〕

3.

□ まい

〔　　　まい 〕

4.

□ つ

〔　　　つ 〕

5.

□ さつ

〔　　　さつ 〕

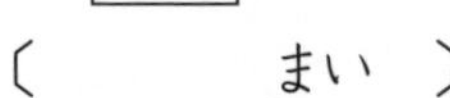 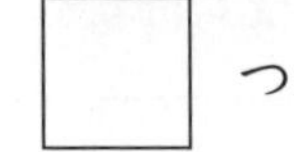 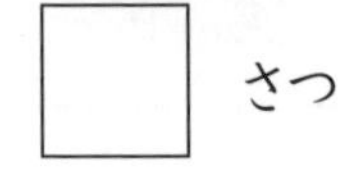 

【3】あわせて　いくらですか。かんじを　かきましょう。

(れい)	Tシャツ ¥1,000 + かばん ¥2,500 =	三千五百	円(えん)
1.	シャープペン ¥200 + ノート ¥480 =		円(えん)
2.	ハンバーガー ¥300 + ジュース ¥170 =		円(えん)
3.	でんしじしょ ¥30,000 + でんち ¥105 =		円(えん)
4.	マンション ¥50,000,000 + くるま ¥2,000,000 =		円(えん)
5.	パン ¥500 + ワイン ¥1,780 =		円(えん)

【4】はがきに　じゅうしょと　でんわばんごうを　かきましょう。

(れい) アークビル〔3かい〕

①とうきょうと　しぶやく
にししぶや〔2—14—9〕

②しんじゅくく　しんじゅくきた
〔6—17—18〕

③ ARC ハイツ〔503〕

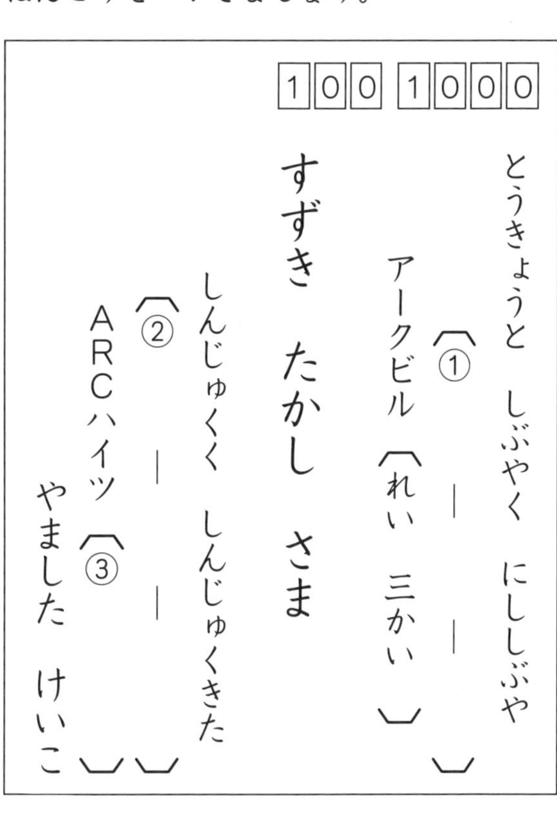

2章（しょう） カレンダー

えから　できた　かんじです。
カレンダーの　かんじを　べんきょうしましょう。
These Kanji are originally from pictures.
Let's study the Kanji from the calendar.

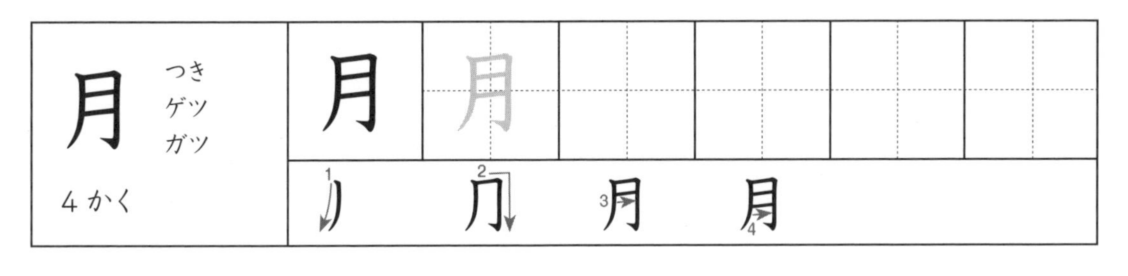

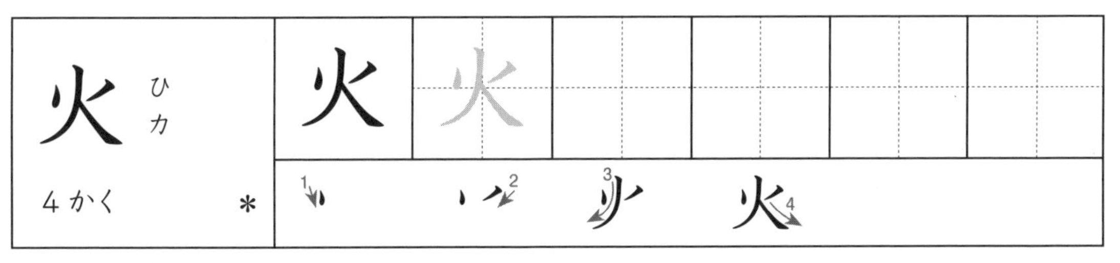

◆ かんじを　よみましょう

① こんやの　月は　とても　きれいです。
　（　　　　）

② らいしゅうの　月ようびに　テストが　あります。
　（　　　　ようび）

③ こん月　くにへ　かえります。
　（こん　　　　）

④ ９月は　しゅくじつが　２か　あります。
　（く　　　　）

⑤ だんろの　火は　あたたかいです。
　（　　　　）

◆ かんじを　かきましょう

① つき　（　　　　）
② げつようび　（　　　　ようび）
③ こんげつ　（こん　　　　）
④ １かげつ　（１か　　　　）
⑤ 11がつ　（　　　　）
⑥ ひ　（　　　　）
⑦ たばこのひ　（たばこの　　　　）
⑧ かようび　（　　　　ようび）

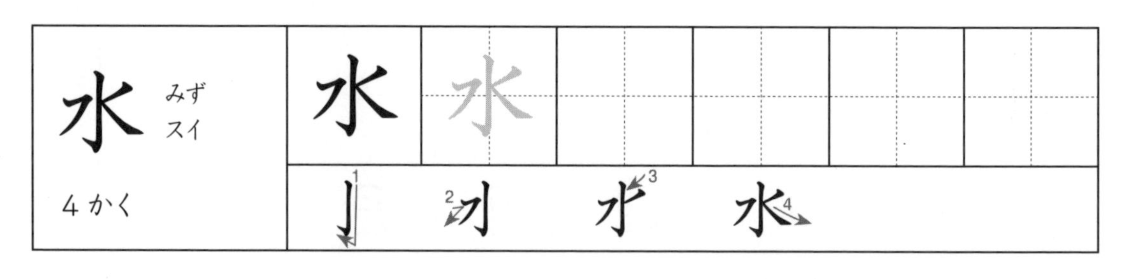

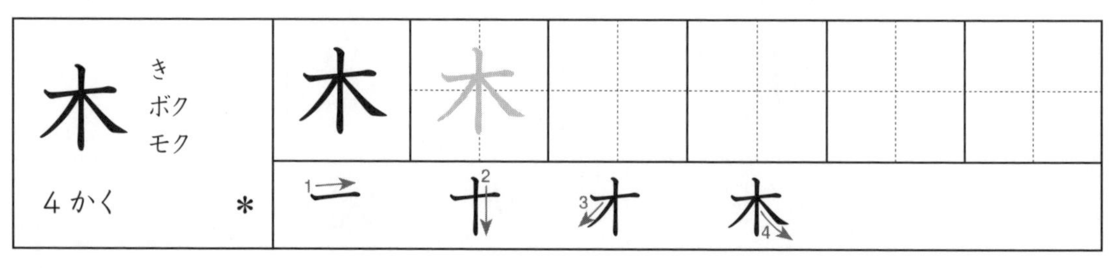

◆かんじを　よみましょう

① のどが　かわきました。水が　のみたいです。
（　　　）

② 水ようびは　えいがが　やすいです。
（　　　ようび）

③ えきの　まえに　さくらの木が　あります。
（さくらの　　　）

④ このこうえんは　ふるい　たい木が　ゆうめいです。
（たい　　　）

⑤ まいしゅう　木ようびに　かいぎが　あります。
（　　　ようび）

◆かんじを　かきましょう

① みず　（　　　　　）

② すいようび　（　　　ようび）

③ すいえい　（　　　えい）

④ こうすい　（こう　　　）

⑤ りんごのき　（りんごの　　　）

⑥ たいぼく　（たい　　　）

⑦ もくようび　（　　　ようび）

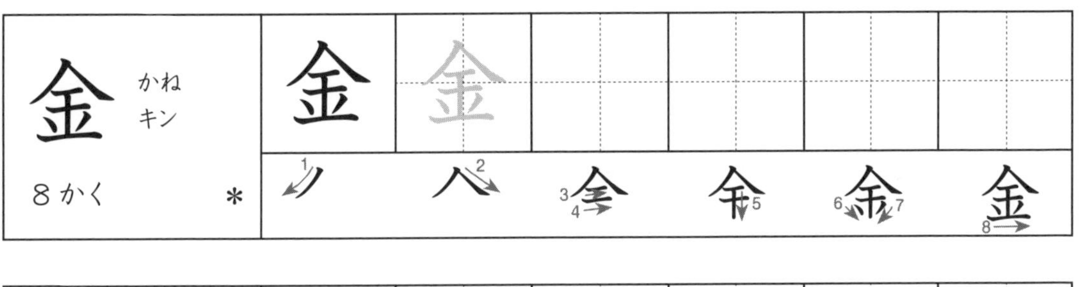

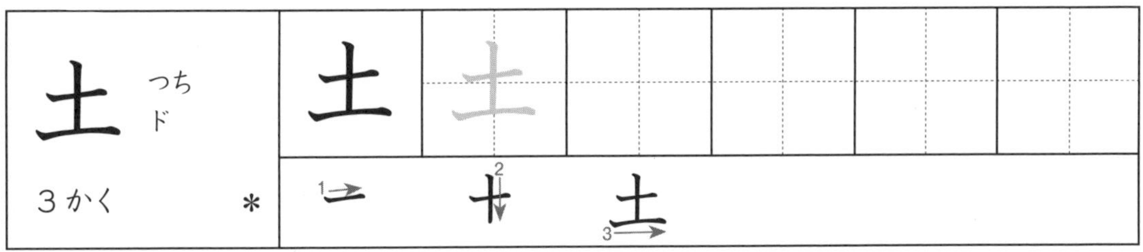

◆ かんじを　よみましょう

① レジで　お金を　はらいます。
（お　　　）

② デパートで　金の　ネックレスを　かいました。
（　　　）

③ 金ようびに　みんなで　おさけを　のみに　いきます。
（　　　ようび）

④ 土から　ちいさい　めが　でました。
（　　　）

⑤ まいしゅう　土ようびは　やすみです。
（　　ようび）

◆ かんじを　かきましょう

① おかね　（お　　　　　）
② きん　（　　　　　）
③ きんようび　（　　　ようび）
④ げんきん　（げん　　　　）
⑤ りょうきん　（りょう　　　）
⑥ つち　（　　　　　）
⑦ どようび　（　　　ようび）

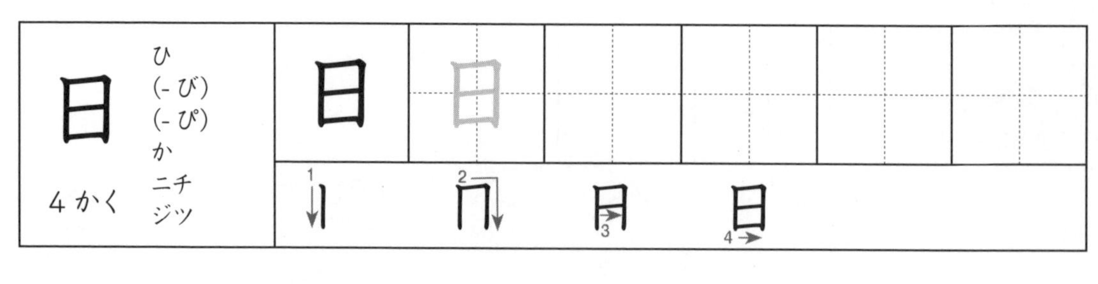

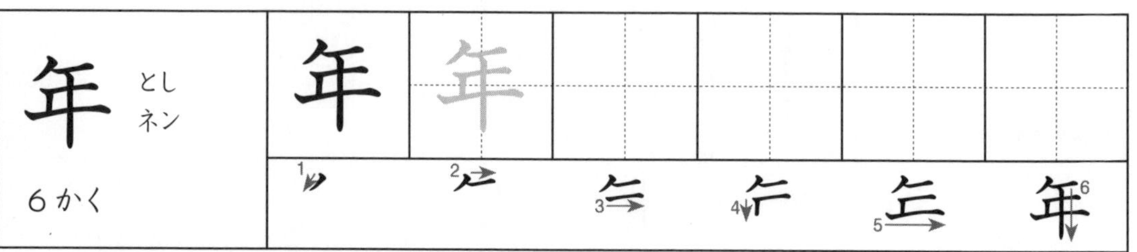

◆ かんじを　よみましょう

① らいしゅうの　日よう日は　ははの日です。
（　　よう　）　（　）

② せい年月日を　おしえてください。
（せい　　　　　）

③ 七月七日は　たなばたです。
（　　　　　）

④ まい年　たんじょうびに　はなを　あげます。
（まい　　）

⑤ 2年まえ　イタリアへ　りょこうに　いきました。
（に　　まえ）

◆ かんじを　かきましょう

① ちちのひ　（ちちの　　　）
② たんじょうび　（たんじょう　　　）
③ せいねんがっぴ　（せい　　　）
④ むいか　（　　　）
⑤ きゅうじつ　（きゅう　　　）
⑥ とし　（　　　）
⑦ 2013 ねん　（2013　　　）
⑧ きょねん　（きょ　　　）

２章（しょう）　ふくしゅう

【1】かんじを　よみましょう。

1. 3年まえに　にほんへ　きました。
2. つめたい　水が　のみたいです。
3. ここに　せい年月日を　かいてください。
4. やましたさんは　1か月まえに　けっこんしました。
5. らい月　ともだちが　にほんへ　あそびに　きます。
6. いま　お金が　ぜんぜん　ありません。
7. きゅう日は　うちで　ゆっくり　やすみます。
8. こどもに　木の　おもちゃを　プレゼントしました。
9. まいしゅう　火よう日に　かいわの　れんしゅうをします。
10. 五月五日は　こどもの日（ひ）です。

1	さん
2	
3	せい
4	いっか
5	らい
6	お
7	きゅう
8	
9	よう
10	

【2】かんじを　かきましょう。

1. いつか　つきへ　いきたいです。
2. げんきんで　とけいを　かいます。
3. こうえんに　さくらのきが　たくさん　あります。
4. きょねん　はじめて　にほんへ　きました。
5. たばこに　ひを　つけます。
6. なかやまさんの　としは　二十五（にじゅうご）さいです。
7. せんしゅうの　すいようびに　ほんを　かりました。
8. どようびに　ともだちと　えいがを　みに　いきます。
9. じゅうにがつに　くにへ　かえります。
10. あしたは　きんようびです。テストが　あります。

1	
2	げん
3	さくらの
4	きょ
5	
6	
7	よう
8	よう
9	
10	よう

２章（しょう）　クイズ

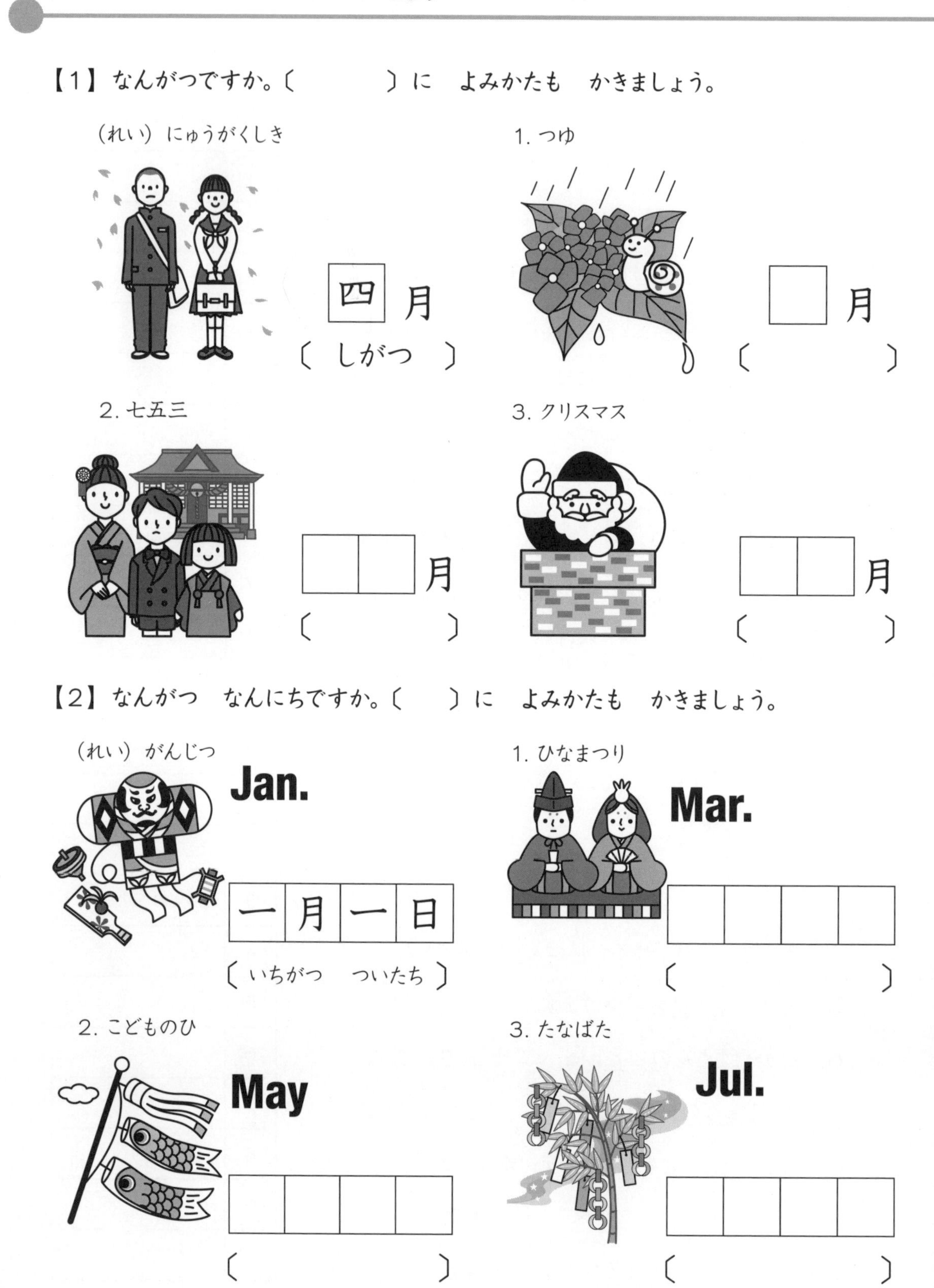

【１】なんがつですか。〔　　　　　〕に　よみかたも　かきましょう。
（れい）にゅうがくしき
四　月
〔しがつ〕
1. つゆ
月
〔　　　　　〕
2. 七五三
月
〔　　　　　〕
3. クリスマス
月
〔　　　　　〕
【２】なんがつ　なんにちですか。〔　　〕に　よみかたも　かきましょう。
（れい）がんじつ
Jan.
一月一日
〔いちがつ　ついたち〕
1. ひなまつり
Mar.
〔　　　　　〕
2. こどものひ
May
〔　　　　　〕
3. たなばた
Jul.
〔　　　　　〕

【3】カレンダーです。かんじを　かきましょう。

9月

日	①〔　　〕	②〔　　〕	③〔　　〕	④〔　　〕	⑤〔　　〕	⑥〔　　〕
				1	2	3
4	5	6	7	8	9	10
11	12	13	14	15	16 テスト	17
18	19	20 たんじょうび	21	22	23	24 しょくじ
25	26	27	28	29	30	

①〜⑥ なんようびですか。かんじで　かいてください。

⑦ なんがつですか。〔　　〕に　よみかたも　かいてください。

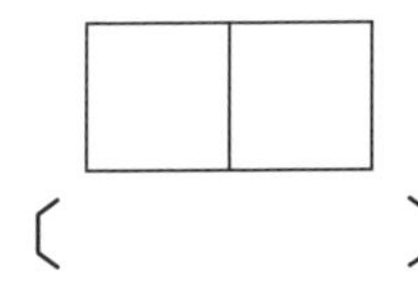

⑧ たんじょうびは　なんにちですか。なんようびですか。

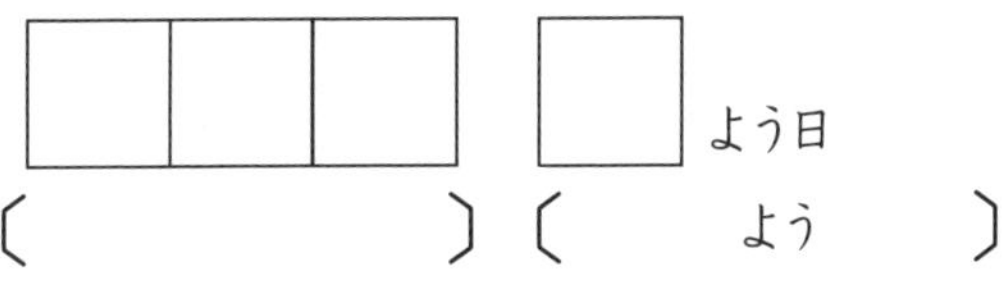

⑨ テストは　なんにちですか。なんようびですか。

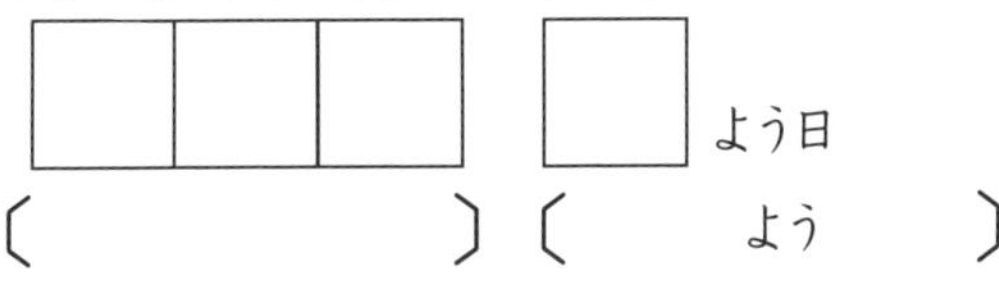

⑩ たなかさんと　しょくじに　いきます。なんにちですか。なんようびですか。

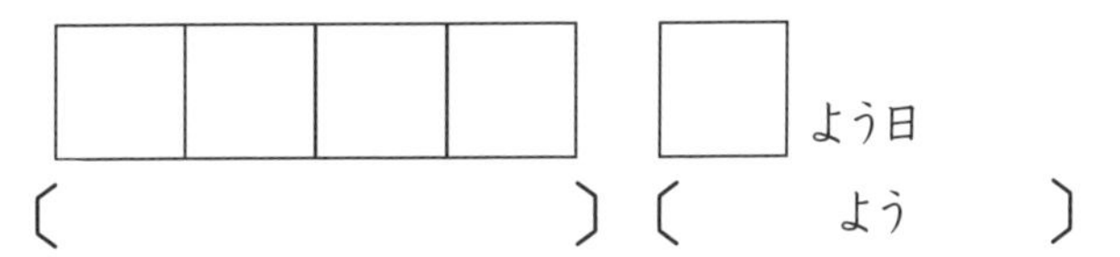

3章 しょう

人 ひと

えから　できた　かんじです。人（ひと）の　かんじを　べんきょうします。
These Kanji are originally from pictures.
Let's study the Kanji related to the human body.

人

口

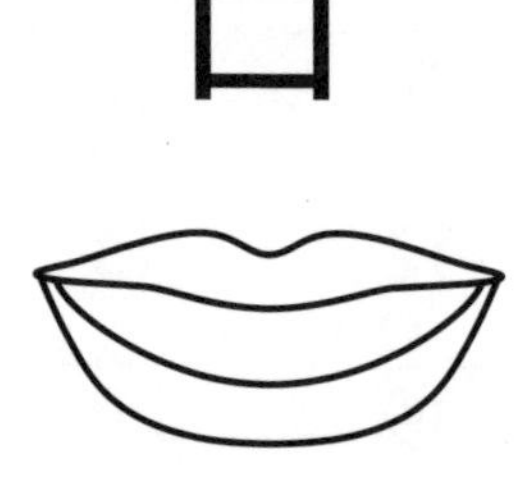

目

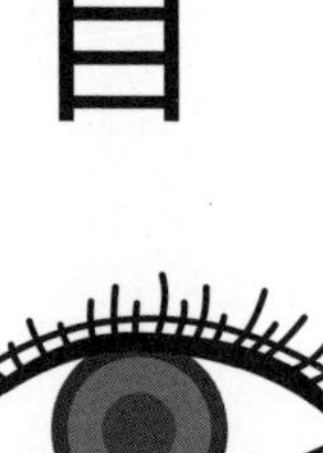

耳

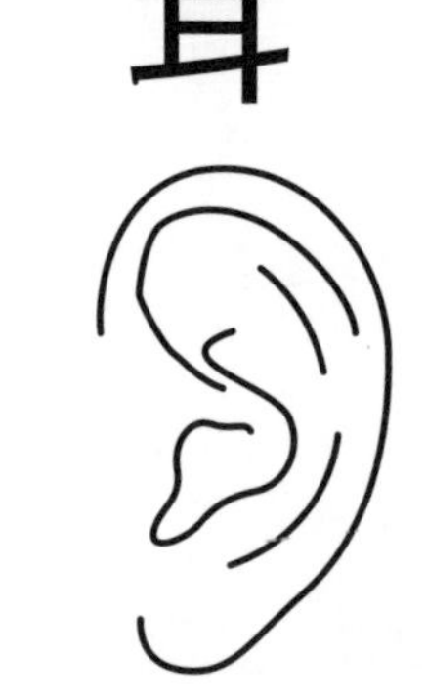

手

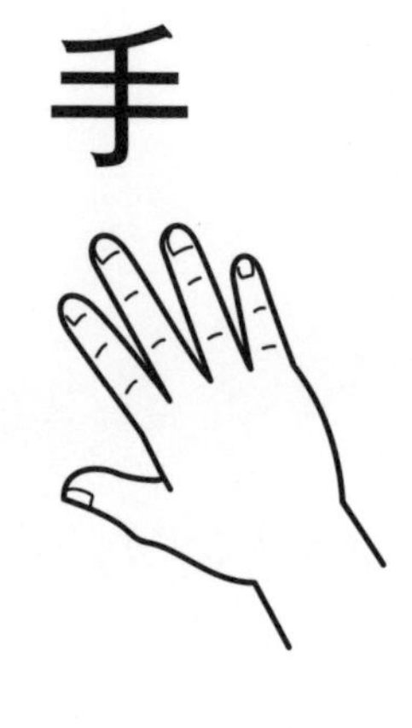

力

足

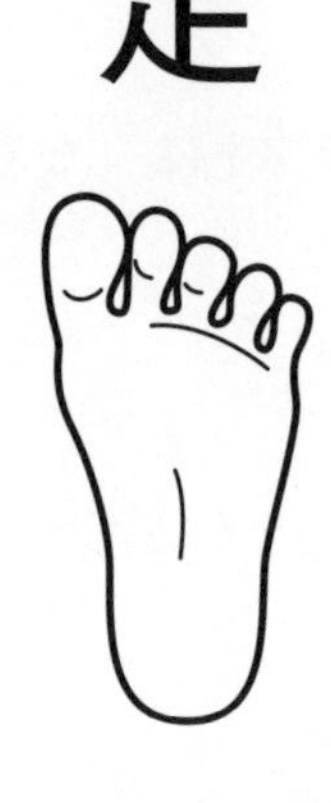

人 ひと ジン ニン 2かく	人	人				
	ノ[1] 人[2]					

口 くち (-ぐち) コウ 3かく *	口	口				
	丨[1] ㄇ[2] 口[3]					

◆ かんじを　よみましょう

① とうきょうは　人が　おおいです。
　（　　　）

② にほん人は　よく　はたらきますか。
　（にほん　　　）

③ きょうの　パーティーに　なん人　きますか。
　（なん　　　）

④ 口を　あけてください。
　（　　　）

⑤ とうきょうの　人口は　なん人ですか。
　（　　　）（なん　　　）

◆ かんじを　かきましょう

① ひと（　　　）　② アメリカじん（アメリカ　　　）

③ さんにん（　　　）　④ なんにん（なん　　　）

⑤ おおきいくち（おおきい　　　）　⑥ くちべに（　　　べに）

⑦ かいさつぐち（かいさつ　　　）　⑧ じんこう（　　　）

◆ とくべつな　ことば

一人：ひとり　二人：ふたり

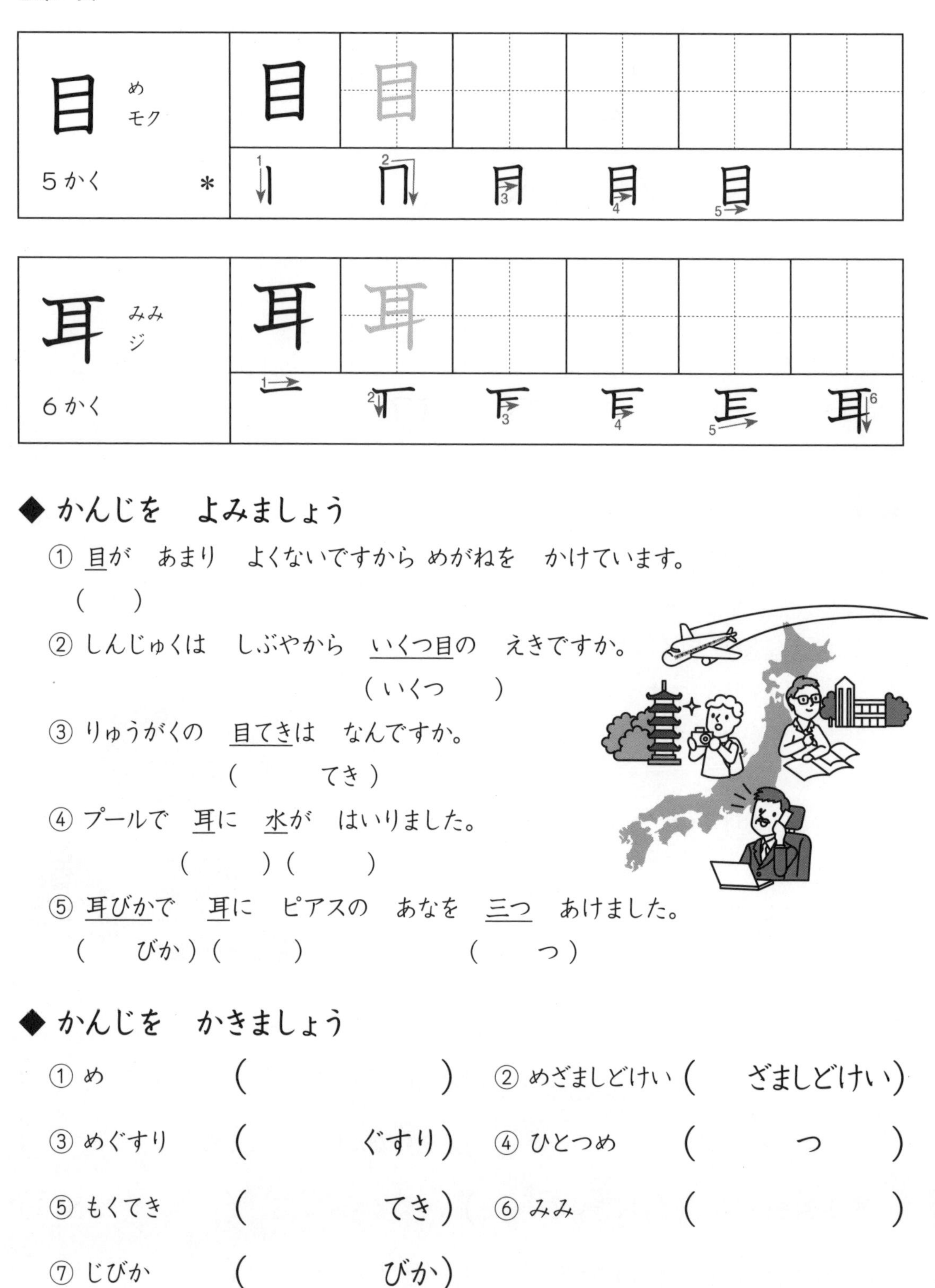

目　め　モク	目	目				
5かく　＊	丨	冂	月	目	目	

耳　みみ　ジ	耳	耳				
6かく	一	丅	下	下	正	耳

◆ かんじを　よみましょう

① 目が　あまり　よくないですから めがねを　かけています。
（　　）

② しんじゅくは　しぶやから　いくつ目の　えきですか。
（いくつ　　）

③ りゅうがくの　目てきは　なんですか。
（　　　てき）

④ プールで　耳に　水が　はいりました。
（　　）（　　）

⑤ 耳びかで　耳に　ピアスの　あなを　三つ　あけました。
（　　びか）（　　）　　（　　つ）

◆ かんじを　かきましょう

① め　（　　　　）

② めざましどけい（　　ざましどけい）

③ めぐすり　（　　　ぐすり）

④ ひとつめ　（　　つ　　）

⑤ もくてき　（　　　てき）

⑥ みみ　（　　　　）

⑦ じびか　（　　　びか）

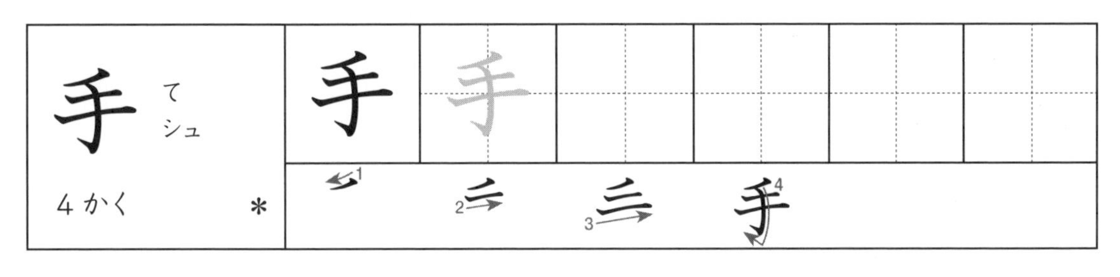

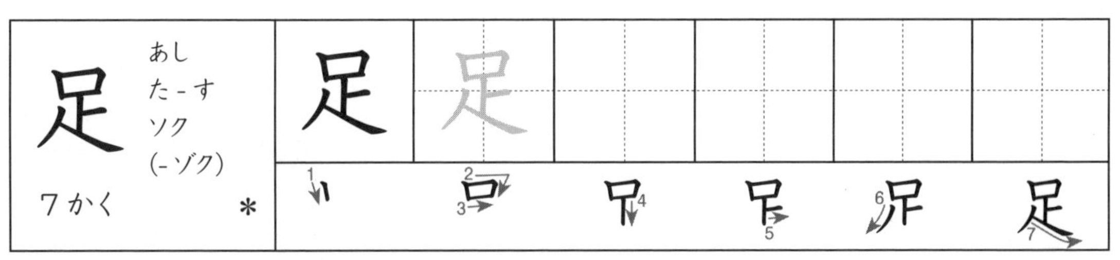

◆ かんじを　よみましょう

① にほん人は　手で　すしや　おにぎりを　たべます。
（にほん　　）（　）

② くにの　ともだちに　手がみを　かきました。ゆうびんきょくで　きっ手を　かいます。
（　がみ）　（きっ　）

③ カレンさんは　モデルです。足が　ながくて　スタイルが　とても　いいです。
（　　）

④ わたしは　くつを　三十足　もっています。
（　　　）

⑤ スープに　すこし　しおを　足してください。
（　して）

◆ かんじを　かきましょう

① てがみ　（　　がみ）
② きって　（きっ　　）
③ あくしゅ　（あく　　）
④ うんてんしゅ　（うんてん　　）
⑤ てあし　（　　）
⑥ たす　（　　す）
⑦ いっそく　（　　）
⑧ さんぞく　（　　）

力　ちから　リョク	力	力					
2かく　＊	1 フ　2 力						

◆ かんじを　よみましょう

① かれは　つよくて　力が　あります。
（　　　）

② 火力が　つよいです。きを　つけてください。
（　　　）

③ みんなで　きょう力して　しごとを　します。
（きょう　　　）

④ コンタクトレンズを　つくります。まず　し力を　しらべます。
（し　　　）

◆ かんじを　かきましょう

① ちから　（　　　）　② かりょく　（　　　）

③ きょうりょく　（きょう　　　）　④ しりょく　（し　　　）

⑤ がくりょくテスト（がく　　　テスト）

３章（しょう）　ふくしゅう

【1】かんじを　よみましょう。

1. ジョンさんは　アメリカ人です。
2. わたしは　一人で　にほんへ　きました。
3. 足を　けがして　びょういんへ　いきました。
4. しぶやえきの　かいさつ口で　ともだちと　あいます。
5. あした　がっこうで　がく力テストが　あります。
6. いつも　目ざましどけいを　7じに　セットしています。
7. きのう　耳びかへ　いきました。
8. くにの　りょうしんに　手がみを　かきました。
9. ゆうびんきょくで　きっ手を　五（ご）まい　かいます。
10. とうきょうの　人口を　しっていますか。

1	アメリカ
2	
3	
4	かいさつ
5	がく　　テスト
6	ざましどけい
7	びか
8	がみ
9	きっ
10	

【2】かんじを　かきましょう。

1. ジョンさんは　ちからが　とても　つよいです。
2. しんじゅくえきは　ひとが　とても　おおいです。
3. クラスの　がくせいは　ぜんぶで　にじゅうにん　います。
4. しんおおさかは　なごやから　ふたつめです。
5. ドラッグストアで　めぐすりを　かいました。
6. ジミーさんは　せが　たかくて　くちが　おおきいです。
7. わたしの　ちちは　タクシーの　うんてんしゅです。
8. みみが　いたいですから　びょういんへ　いきました。
9. デパートで　くつしたを　にそく　かいました。
10. あじが　うすいですね。しおを　たしてください。

1	
2	
3	
4	つ
5	ぐすり
6	
7	うんてん
8	
9	
10	

3章(しょう)　クイズ

【1】かんじを　つくりましょう。

(れい)　ノ　＋　丶　＝　人

1.　𠃊　＋　㇆　＝　□

2.　口　＋　止　＝　□

3.　三　＋　亅　＝　□

4.　口　＋　＝　＝　□

5.　丅　＋　彐　＝　□

6.　㇆　＋　ノ　＝　□

【2】からだの　どこに　しますか。□に　かんじを　一つ(ひと)　かきましょう。

(れい)　口べに　⇒　口

1.　くつ　⇒　□

2.　サングラス　⇒　□

3.　ピアス　⇒　□

4.　ゆびわ　⇒　□

5.　うでどけい　⇒　□

6.　ハイヒール　⇒　□

7.　ヘッドホン　⇒　□

8.　マニキュア　⇒　□

【3】ぶんの　かんじを　よみましょう。

★☆★☆　モデルの　かおりさんは　どんな　人？　★☆★☆

1. かおりさんは　目が　くろくて　おおきいです。
　（　　　）

2. かおりさんは　足が　ながくて　スタイルが　いいです。
　（　　　　　）

3. かおりさんの　手は　いつも　きれいです。
　（　　　）

4. かおりさんは　耳に　ピアスの　あなが　五(いつ)つも　あります。
　（　　　　　）

5. かおりさんは　しんせつで　すてきな　人です。
　（　　　　　）

6. がくせいのとき　がく力テストで　いつも　一(いち)ばんでした。あたまが　いいです。
　（がく　　　　　テスト）

【4】ぶんを　よんで　かんじを　かきましょう。

1. きのう　おおきい　びょういんへ　いきました。（　　　　）が　たくさん　いました。
2. 日(にち)よう日(び)　サッカーをして　（　　　　）を　けがしました。
3. きのう　一日中(いちにちじゅう)　テレビを　みました。（　　　　）が　あかいです。
4. プールで　およぎました。水(みず)が（　　　　）に　はいって　いたいです。
5. ゆうべ　りょうりのとき　ほうちょうで　（　　　　）を　きりました。
6. ふゆは　かんそうしますから　（　　　　）に　リップクリームを　つけます。
7. たなかさんは　まいにち　うんどうしますから　つよくて　（　　　　）が　あります。

手	人	耳	足	目	力	口

4章(しょう) しぜん -1

えから　できた　かんじです。しぜんの　かんじを　べんきょうします。
These Kanji are originally from pictures.
Let's study the Kanji related to nature.

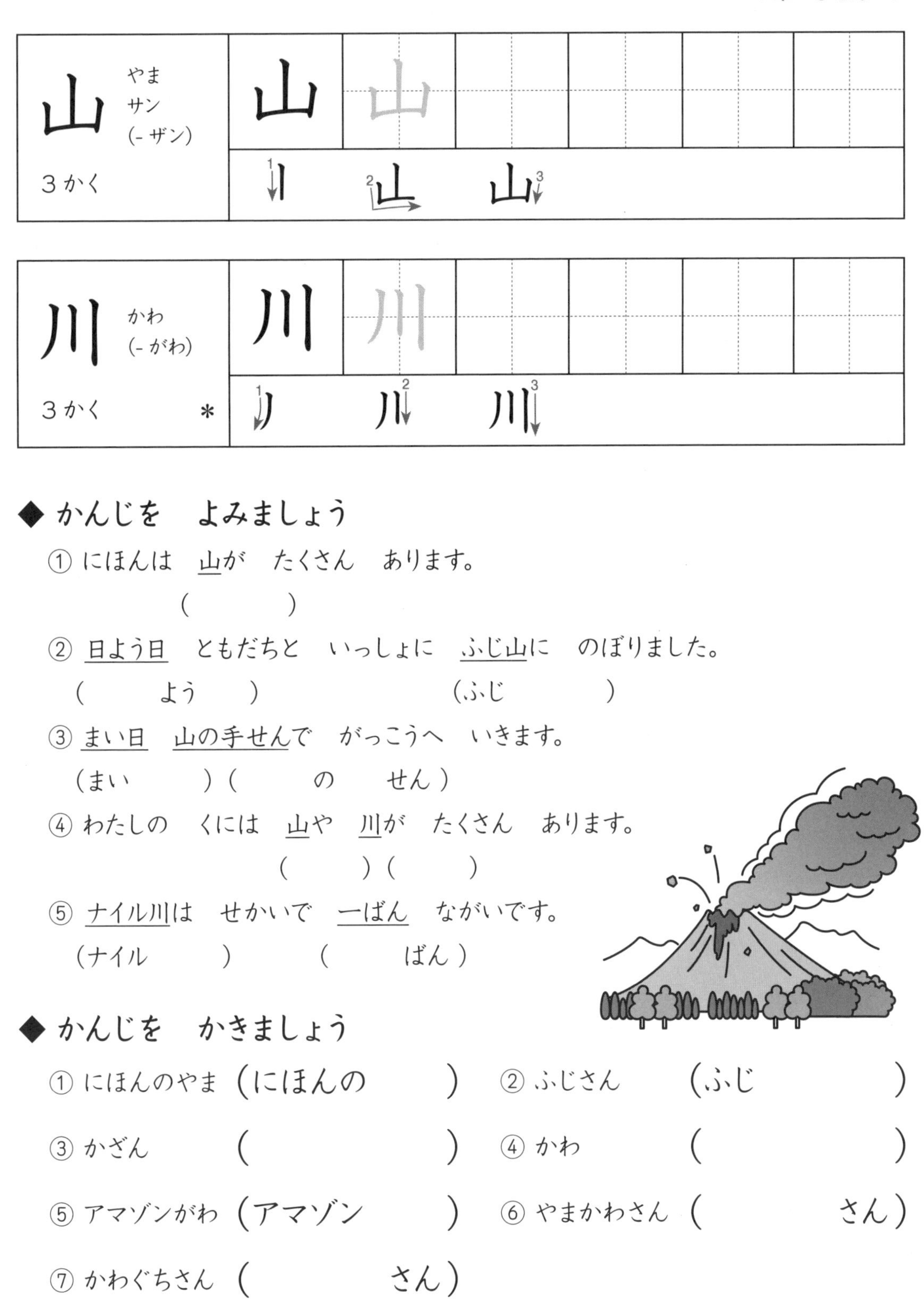

山	やま サン (- ザン) 3かく	山	山				

川	かわ (- がわ) 3かく ＊	川	川				

◆ かんじを　よみましょう

① にほんは　山が　たくさん　あります。
（　　　）

② 日よう日　ともだちと　いっしょに　ふじ山に　のぼりました。
（　　よう　　）　　　　　（ふじ　　　）

③ まい日　山の手せんで　がっこうへ　いきます。
（まい　　）（　　の　　せん）

④ わたしの　くには　山や　川が　たくさん　あります。
（　　）（　　）

⑤ ナイル川は　せかいで　一ばん　ながいです。
（ナイル　　）　（　　ばん）

◆ かんじを　かきましょう

① にほんのやま（にほんの　　　）

② ふじさん（ふじ　　　）

③ かざん（　　　）

④ かわ（　　　）

⑤ アマゾンがわ（アマゾン　　　）

⑥ やまかわさん（　　　さん）

⑦ かわぐちさん（　　　さん）

田	た (-だ) デン	田	田				
5かく		1	2	3	4	5	

石	いし セキ	石	石				
5かく	*	1	2	3	4	5	

◆ かんじを　よみましょう

① とうきょうに　田んぼが　ありますか。
（　　んぼ　）

② 水田で　こめを　つくります。
（　　　　　）

③ 川で きれいな　こ石を　ひろいました。
（　　　）　（こ　　　）

④ アンさんは　ダイヤモンドや　ルビーなどの　ほう石を　たくさん　もっています。
（ほう　　　）

⑤ あぶないですから　石を　なげてはいけません。
（　　　）

◆ かんじを　かきましょう

① たんぼ　（　　　んぼ）　② すいでん　（　　　　　）

③ やまださん　（　　　さん）　④ いし　（　　　　　）

⑤ こいし　（こ　　　）　⑥ ほうせき　（ほう　　　）

⑦ いしださん　（　　　さん）

花 はな カ 7かく	花	花				
	一	十	艹	艹	芒	花

竹 たけ チク 6かく	竹	竹				
	ノ	𠂉	个	竹	竹	竹

◆ かんじを　よみましょう

① テーブルの　うえの　花びんに　花を　いれてください。
（　　びん）（　　　）

② クリスマスに　バラの　花たばを　プレゼントします。
（　　　たば）

③ 土よう日　ともだちと　こうえんへ　花火を　みに　いきました。
（　よう　）　（　　　）

④ まい日　ベランダの　花に　水を　やってから　かいしゃへ　いきます。
（まい　　）（　　）（　　）

⑤ パンダは　竹が　すきです。
（　　）

◆ かんじを　かきましょう

① はな（　　　　）
② かびん（　　　びん）
③ はなみ（　　　み）
④ はなび（　　　　）
⑤ はなたば（　　　たば）
⑥ たけ（　　　　）
⑦ たけのこ（　　　のこ）
⑧ ちくりん（　　　りん）

雨 あめ ウ	雨	雨				
８かく　＊	一	丆	万	币	雨	雨

◆ かんじを　よみましょう

① にほんは　六月に　雨が　たくさん　ふります。
（　　　　）（　　　）

② たいふうが　きて　おお雨が　ふりました。
（おお　　　）

③ 雨が　ふっていますよ。かさを　かしましょうか。
（　　　）

④ 日よう日の　バーベキューは　雨てんちゅうしです。
（　　よう　　）　　　　（　　てん）

◆ かんじを　かきましょう

① あめ　（　　　　　）　② おおあめ　（おお　　　　）

③ うてん　（　　　てん）

4章(しょう)　ふくしゅう

【1】かんじを　よみましょう。

1. あぶないですから　石を　なげてはいけません。
2. まい日(にち)　山の手せんで　がっこうへ　いきます。
3. 水田で　こめを　つくります。
4. このクラスの　たんにんは　川口せんせいです。
5. にほんで　一(いち)ばん　ながい川は　どこに　ありますか。
6. にほんは　山が　おおい　くにです。
7. ダイヤモンドや　ルビーなどの　ほう石は　たかいです。
8. 花びんを　テーブルの　うえに　おきました。
9. はるは　竹のこが　おいしいです。
10. にほんは　6月(がつ)に　雨が　たくさん　ふります。

1	
2	の　せん
3	
4	せんせい
5	
6	
7	ほう
8	びん
9	のこ
10	

【2】かんじを　かきましょう。

1. ことしの　なつやすみは　ふじさんへ　いきたいです。
2. やまださんは　ハンサムで　すてきな人(ひと)です。
3. たんぼに　カエルや　かもが　います。
4. まいあさ　ベランダの　はなに　水(みず)を　やります。
5. 川(かわ)で　きれいな　こいしを　ひろいました。
6. ははの日(ひ)に　カーネーションの　はなたばを　あげました。
7. なつやすみに　はなびを　みに　いきます。
8. きれいな　かわで　こどもが　あそんでいます。
9. うちの　ちかくの　山(やま)に　ちくりんが　あります。
10. たいふうで　おおあめが　たくさん　ふりました。

1	ふじ
2	さん
3	んぼ
4	
5	こ
6	たば
7	
8	
9	りん
10	おお

4章 クイズ
しょう

【1】かんじを　かきましょう。

（れい）

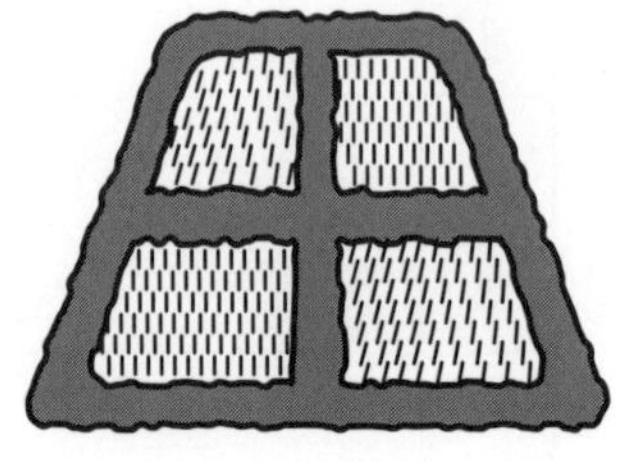

田

1.

2.

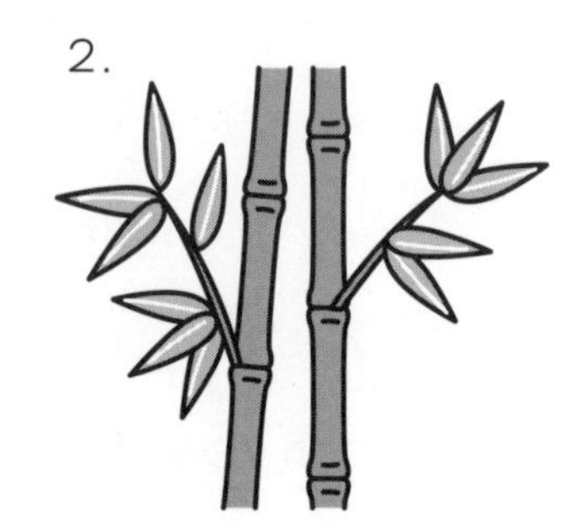

3.

4.

5.

【2】かんじを　つくりましょう。

	よみかた	かんじ			
れい	ひと	人			
1.	やま	山	2.	かわ	ノ
3.	て	三	4.	いし	ア
5.	た	冂	6.	あし	口
7.	たけ	ケ	8.	あめ	冂

【3】にほん人(じん)の　なまえです。　かんじを　かきましょう。

1.　(　　　　　　　)さんは　アイスクリームを　たべています。

2.　(　　　　　　　)さんは　コップを　もっています。

3.　(　　　　　　　)さんは　おどっています。

4.　(　　　　　　　)さんは　ジュースを　のんでいます。

5.　(　　　　　　　)さんは　しゃしんを　とっています。

6.　(　　　　　　　)さんは　うたを　うたっています。

【4】ぶんを　よんで　かんじを　よんだり　かいたり　しましょう。

<u>日よう日</u>　ともだちと　いっしょに　<u>山</u>へ　いきました。<u>どようび</u>は　<u>雨</u>でしたが、
①(　　よう　　)　　　②(　　　)　　③(　　よう　　)④(　　　)

日よう日は　はれでした。よかったです。あさ　10じから　山に　のぼりました。

山には　<u>はな</u>が　たくさん　さいていました。とても　きれいでした。
⑤(　　　)

<u>川</u>の　ちかくで　おべんとうを　たべました。それから　<u>みず</u>あそびを　しました。
⑥(　　　)　　　　　　　　　　⑦(　　　)

たくさん　あるきましたから　<u>あし</u>が　つかれました。
⑧(　　　)

5章(しょう) ばしょ

きごうから　できた　かんじを　べんきょうします。

Let's study the Kanji originally from symbols.

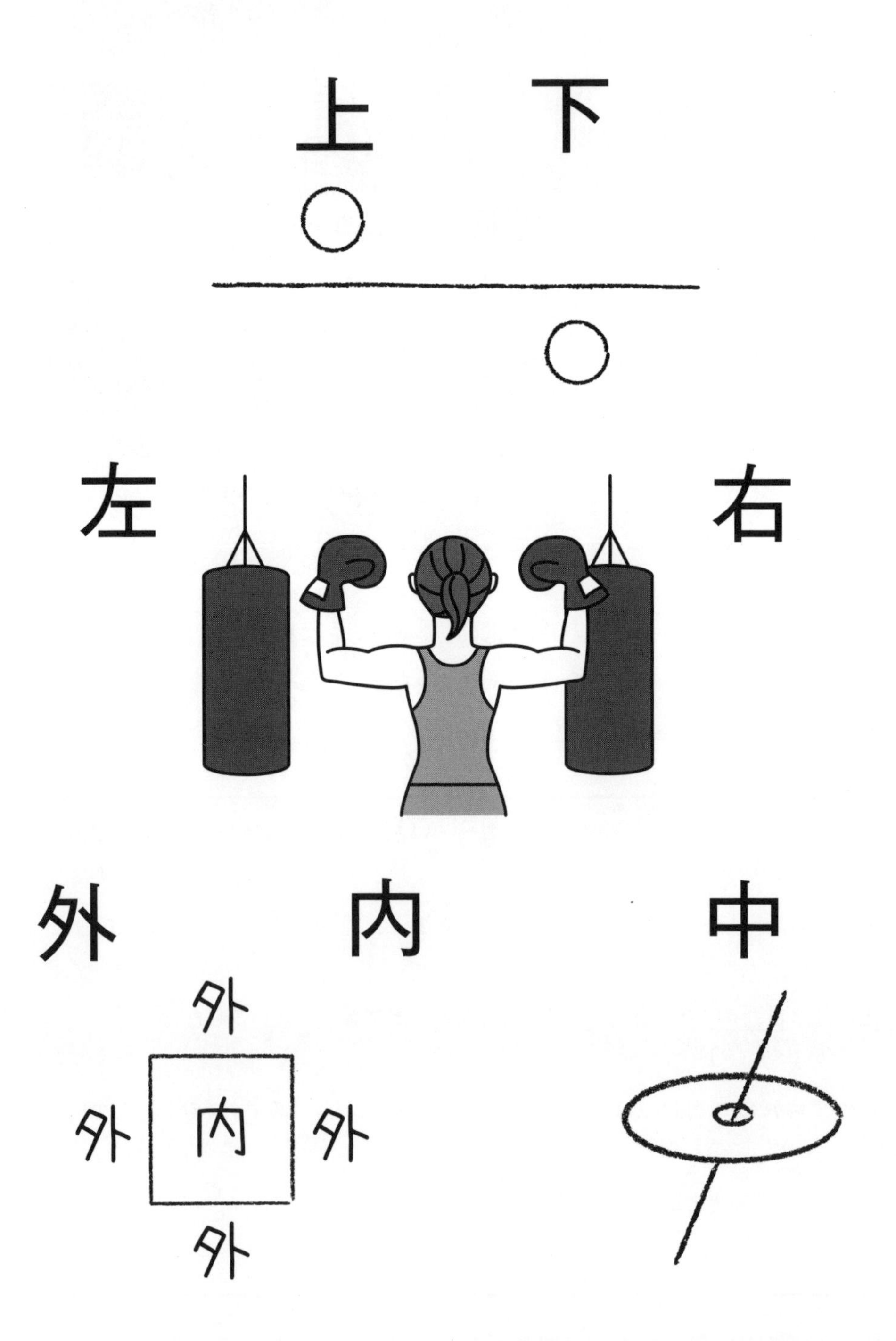

上　うえ　あ-がる　のぼ-る　ジョウ
3かく　＊

下　した　さ-がる　くだ-る　ゲ
3かく　＊

◆ かんじを　よみましょう

① つくえの　上に　なにが　ありますか。いすの　下に　なにが　ありますか。
（　　　）　（　　　）

② エレベーターが　四かいに　上がりました。
（　　かい）（　　がりました）

③ 水上スキーは　とても　おもしろい　スポーツです。
（　　　　）

④ ふゆは　きおんが　下がります。だいたい　五どから　十どくらいです。
（　　がります）（　　ど）（　　ど）

⑤ さかを　下ってください。さかの　下に　わたしの　うちが　あります。
（　　って）（　　　）

◆ かんじを　かきましょう

① うえ（　　　）

② あがる（　　がる）

③ としうえ（　　　）

④ じょうげ（　　　）

⑤ のぼりのでんしゃ（　　りのでんしゃ）

⑥ したぎ（　　ぎ）

⑦ さがる（　　がる）

⑧ くだりのでんしゃ（　　りのでんしゃ）

◆ とくべつな　ことば

上ぎ：うわぎ

左 ひだり サ 5かく	左	左				
	一	ナ	左	左	左	

右 みぎ ウ 5かく ＊	右	右				
	ノ	ナ	右	右	右	

◆ かんじを　よみましょう

① こうさてんは　右と　左を　よく　みてから　わたってください。
（　　　）（　　　）

② あなたは　右ききですか。左ききですか。
（　　きき）（　　きき）

③ にほんは　くるまが　左がわを　はしります。人が　右がわを　あるきます。
（　　がわ）　（　　）（　　がわ）

④ まっすぐ　いって　あのかどを　右に　まがってください。
（　　　）

⑤ ここで　右せつしないでください。
（　せつ）

◆ かんじを　かきましょう

① ひだり　（　　　　）
② ひだりあし　（　　　　）
③ させつ　（　　せつ）
④ つくえのみぎ　（つくえの　　）
⑤ みぎて　（　　　　）
⑥ うせつ　（　　せつ）
⑦ みぎがわ　（　　がわ）

◆ とくべつな　ことば

左右：さゆう

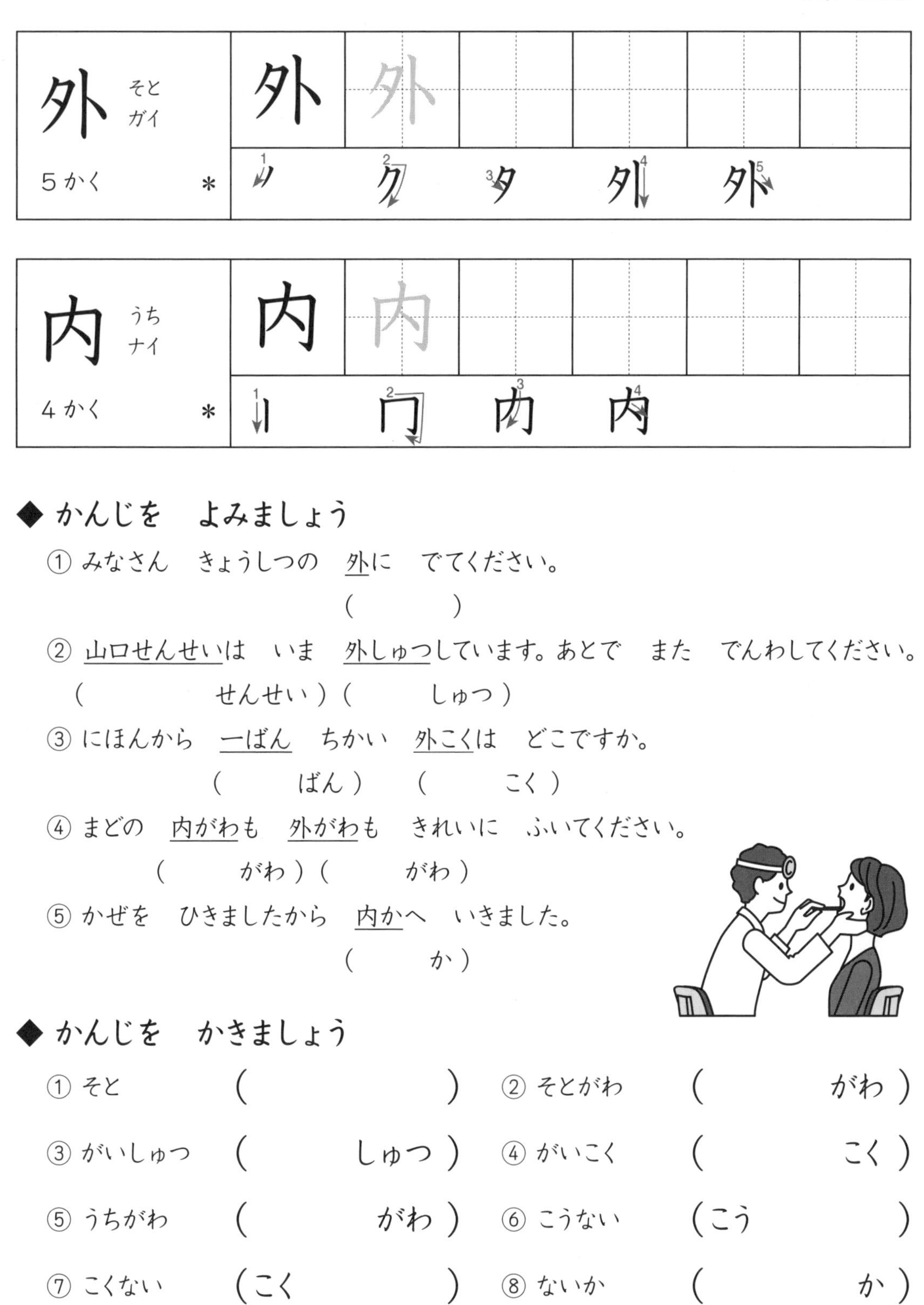

外 そと ガイ	外	外				
５かく　＊	丿	ク	タ	夕|	外	

内 うち ナイ	内	内				
４かく　＊	|	冂	内	内		

◆ かんじを　よみましょう

① みなさん　きょうしつの　外に　でてください。
（　　　）

② 山口せんせいは　いま　外しゅつしています。あとで　また　でんわしてください。
（　　　せんせい）（　　しゅつ）

③ にほんから　一ばん　ちかい　外こくは　どこですか。
（　　ばん）（　　こく）

④ まどの　内がわも　外がわも　きれいに　ふいてください。
（　　がわ）（　　がわ）

⑤ かぜを　ひきましたから　内かへ　いきました。
（　　か）

◆ かんじを　かきましょう

① そと（　　　　）　② そとがわ（　　　がわ）

③ がいしゅつ（　　　しゅつ）　④ がいこく（　　　こく）

⑤ うちがわ（　　　がわ）　⑥ こうない（こう　　　）

⑦ こくない（こく　　　）　⑧ ないか（　　　か）

中　なか チュウ ジュウ 4かく	中	中				
	1 丨	2 ⼌	3 口	4 中		

◆ かんじを　よみましょう

① くるまの　中に　かばんが　あります。だれの　かばんですか。
　　（　　　）

② 水中で　目を　あけることが　できますか。
　（　　　　）（　　）

③ さいふの　中に　一万円　はいっています。
　　（　　）（　　　　　）

④ マイクさんは　かいぎ中ですから　いま　いません。
　　（かいぎ　　　）

⑤ きのうは　やすみでしたから　一日中　べんきょうしました。
　　（　　　　　）

◆ かんじを　かきましょう

① へやのなか　（へやの　　　）　② くるまのなか　（くるまの　　　）

③ すいちゅう　（　　　　）　④ しごとちゅう　（しごと　　　）

⑤ じゅぎょうちゅう　（じゅぎょう　　　）　⑥ いちにちじゅう　（　　　　）

5章（しょう）　ふくしゅう

【1】かんじを　よみましょう。

1. おとうとは　三（さん）さい　年下です。
2. かいだんで　三（さん）かいまで　上がってください。
3. つくえの　上に　なにが　ありますか。
4. 二（に）ばんホームに　下りの　でんしゃが　きます。
5. わたしの　しゅみは　水上スキーです。
6. きょうは　一日中　あつかったです。
7. 左右を　よく　みて　おうだんほどうを　わたってください。
8. 山口（やまぐち）せんせいは　いま　外しゅつしています。
9. まどの　内がわも　よく　ふいてください。
10. このかどを　右に　まがってください。

1	
2	がって
3	
4	り
5	
6	
7	
8	しゅつ
9	がわ
10	

【2】かんじを　かきましょう。

1. としうえの　人（ひと）と　けっこんしたいです。
2. あついですから　そとに　でたくないです。
3. いすの　したに　ねこが　います。
4. せいせきが　さがりました。かなしいです。
5. みなさん　つくえの　みぎがわに　たってください。
6. わたしは　ひだりききです。
7. デパートで　じょうげセットの　ジャージを　かいました。
8. なつやすみに　一人（ひとり）で　こくないを　りょこうしました。
9. かばんの　なかに　ペットボトルの　水（みず）が　あります。
10. 山田（やまだ）せんせいは　いま　じゅぎょうちゅうです。

1	
2	
3	
4	がりました
5	がわ
6	きき
7	
8	こく
9	
10	じゅぎょう

5章(しょう)　クイズ

【1】どんな　かんじが　できますか。かんじを　かきましょう。

（れい）

丨	一	一	……………………	上

1.

一	丨	丶	……………………	

2.

丨	㇕	一	丨	……………	

3.

丿	㇇	丶	丨	丶	………	

4.

丿	一	丨	㇕	一	………	

5.

丨	㇆	丿	丶	……………	

【2】えを　みて　かんじを　かきましょう。

1．テーブルの □ に □ びんが　あります。

2．うちの □ に　ねこが □ ひき　います。

3．ベッドの □ に　いぬが □ ぴき　います。

4．うちの □ に　おんなのこが □□ います。

5．へやの □ の　いすの □ に　くつ □ が □ そく　あります。

【3】かんじを　かきましょう。

～わたしの　がっこう～

わたしの　がっこうは　しんじゅくえきから　あるいて　5ふんです。ビルの　三(さん)かいです。
がくせいは　かいだんで　あがります。がっこうの　なかに　じどうはんばいきが　あります。
①（　がります）　②（　　）
トイレは　みぎが　おとこのひと　ひだりが　おんなのひとの　トイレです。
③（　　）④（　　）⑤（　　）⑥（　　）
こうないは　きんえんです。やすみじかんは　きょうしつの　そとの　ベランダで　やすみます。
⑦（こう　　）　⑧（　　）
ときどき　ベランダから　したを　みます。ひとが　たくさん　あるいています。
⑨（　　）　⑩（　　）
わたしは　がっこうが　とても　すきですから　いちにちじゅう　がっこうに　います。
⑪（　　　）

1章(しょう)～5章(しょう)　アチーブメントテスト

【1】かんじを　よみましょう。

1. 五月五日は　こどもの日(ひ)です。にほんの　きゅう日(じつ)です。
　(　　　　　　)
2. わたしの　かぞくは　ぜんぶで　六人です。
　(　　　　　)
3. わたしの　うちは　マンションの　九かいです。
　(　　　かい)
4. さいふの　中(なか)に　千円さつが　三(さん)まい　あります。
　(　　　　さつ)
5. らいしゅうの　月よう日に　かんじの　テストが　あります。
　(　　よう　　)
6. のどが　かわきましたから　つめたい　水を　のみました。
　(　　)
7. しんじゅくえきは　しぶやえきから　三つ目です。
　(　　つ　　)
8. 耳がいたいですから　耳(じ)びかへ　いきます。
　(　　　)
9. ナイル川は　せかいで　一(いち)ばん　ながいです。
　(ナイル　　)
10. きょうしつの　外の　ベランダで　やすみます。
　(　　)

【2】かんじを　かきましょう。

1. はちがつとおか (　　　　　　)
2. かようび (　　よう　　)
3. さくらのき (さくらの　　　)
4. てがみ (　　　がみ)
5. しりょく (し　　　　)
6. ふじさん (ふじ　　　)
7. たんぼ (　　　んぼ)
8. たけのこ (　　　のこ)
9. ひだりきき (　　　きき)
10. こくない (こく　　　)

【3】ぶんを　よんで　かんじを　よんだり　かいたり　しましょう。

6／19（木）

①にちようびは　②こい人の　アンナさんの　③たんじょう日ですから　きょう
デパートへ　プレゼントを　かいに　いきました。

まず　④四かいで　Tシャツを　かいました。それから　⑤ほう石うりばで　ダイヤの
イヤリングも　みましたが　⑥ひゃくまんえんでした。
わたしは　⑦おかねが　ありません……。

つぎに　エスカレーターで　⑧六かいに　⑨あがりました。⑩くつ下を　みました。
アンナさんは　⑪あしが　ちいさいですから　いいサイズが　ありませんでした。
そして　ちいさい　びんの　⑫こう水を　かいました。
どようびに　バラの　⑬はなたばも　かいます。

にちようびは　ともだち　⑭じゅうにんと　パーティーを　しますから　⑮一かいで
ワインを　⑯三ぼん　かいました。アンナさんの　たんじょう日と　おなじ
⑰1990ねんの　イタリアの　しろワインです。

きょうは　あさから　⑱あめが　たくさん　ふっていましたが　デパートは　⑲人が
とても　おおかったです。
⑳いちにちじゅう　かいものを　しましたから　とても　つかれました。

① よう	② こい	③ たんじょう	④ かい
⑤ ほう	⑥	⑦ お	⑧ かい
⑨ がりました	⑩ くつ	⑪	⑫ こう
⑬ たば	⑭	⑮ かい	⑯ ぼん
⑰ 1990	⑱	⑲	⑳

6章（しょう） 学校（がっこう） - 1

がっこうの　かんじです。えを　ヒントに　べんきょうしましょう。

These Kanji are related to school.
Let's study by getting hints from pictures.

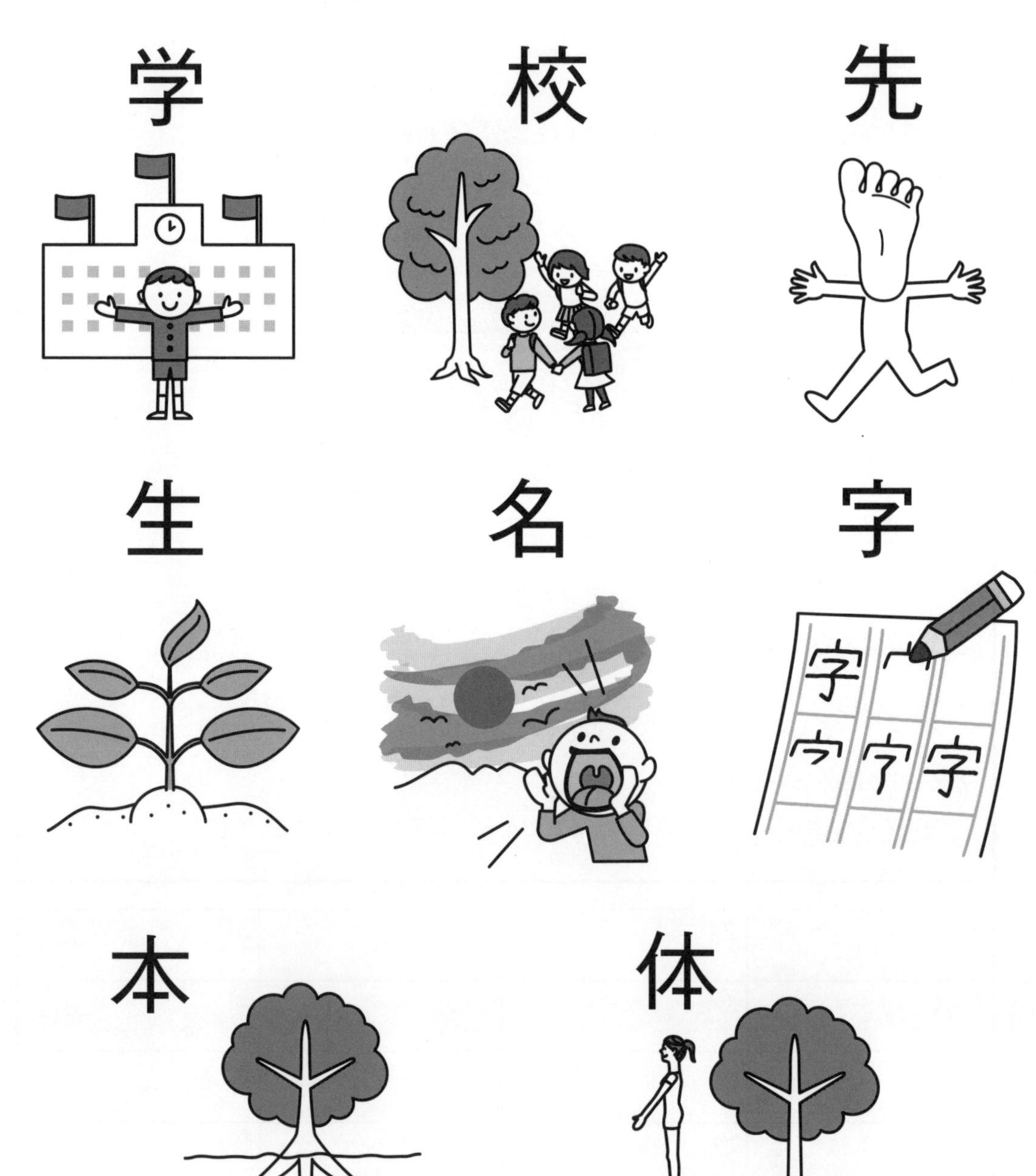

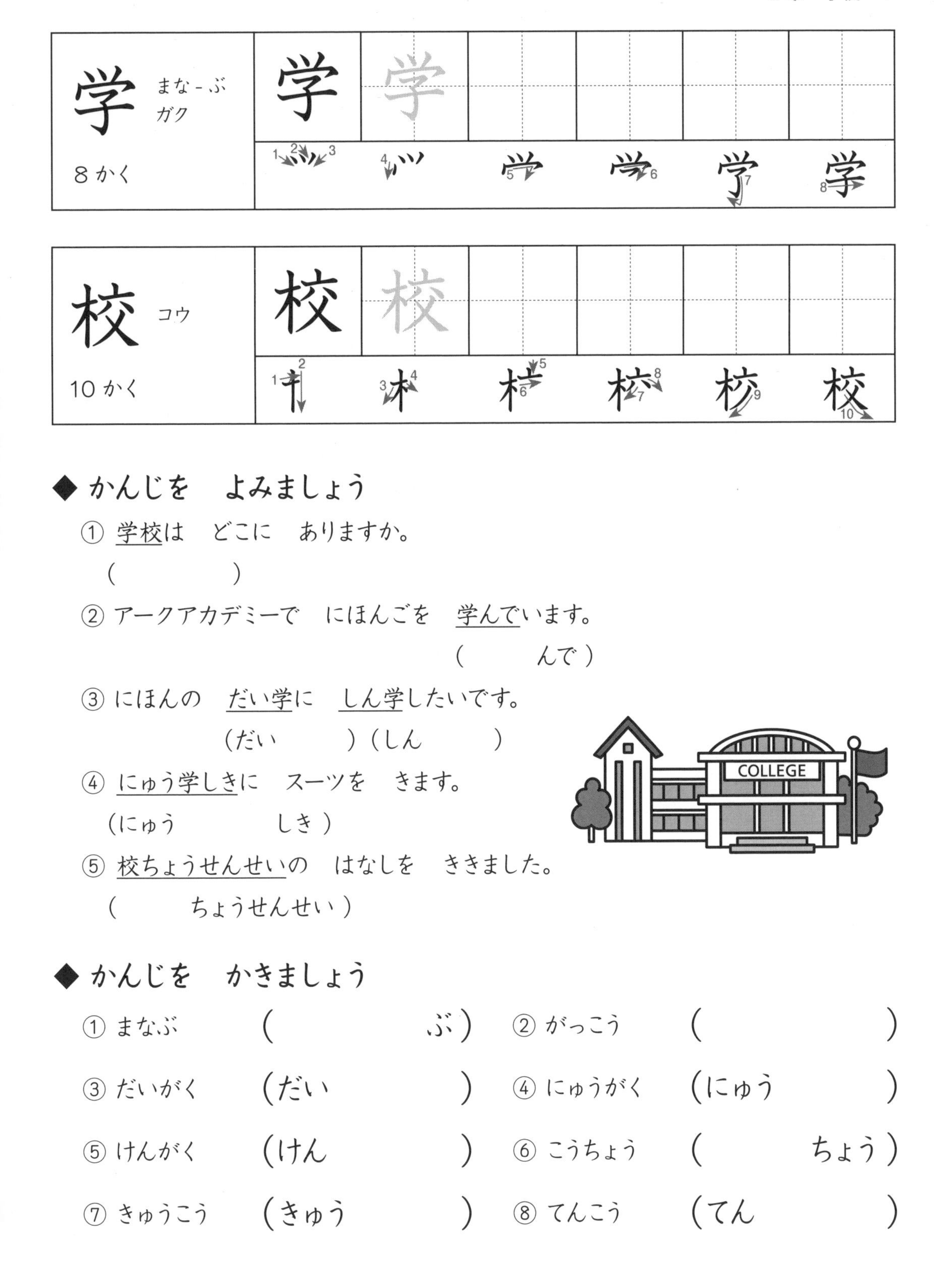

学 まな-ぶ ガク 8かく	学	学				

校 コウ 10かく	校	校				

◆ かんじを　よみましょう

① 学校は　どこに　ありますか。
（　　　　　）

② アークアカデミーで　にほんごを　学んでいます。
（　　　んで）

③ にほんの　だい学に　しん学したいです。
（だい　　　）（しん　　　）

④ にゅう学しきに　スーツを　きます。
（にゅう　　　しき）

⑤ 校ちょうせんせいの　はなしを　ききました。
（　　　ちょうせんせい）

◆ かんじを　かきましょう

① まなぶ　（　　　　ぶ）
② がっこう　（　　　　）
③ だいがく　（だい　　　）
④ にゅうがく　（にゅう　　　）
⑤ けんがく　（けん　　　）
⑥ こうちょう　（　　　ちょう）
⑦ きゅうこう　（きゅう　　　）
⑧ てんこう　（てん　　　）

先 さき セン 6かく	先	先				
	丿	𠂉	𠂒	生	先	先

生 い－きる う－まれる セイ ショウ (－ジョウ) 5かく ＊	生	生				
	丿	𠂉	𠂒	生	生	

◆ かんじを　よみましょう

① クラスに　学生は　なん人　いますか。
（　　　　）（なん　　　）

② 先生は　先に　かえりました。
（　　　　）（　　　）

③ 先しゅうは　いそがしかったです。
（　　　しゅう）

④ 先日は　ありがとうございました。
（　　　　）

⑤ わたしは　12月に　生まれました。
（じゅうに　　　）（　　まれました）

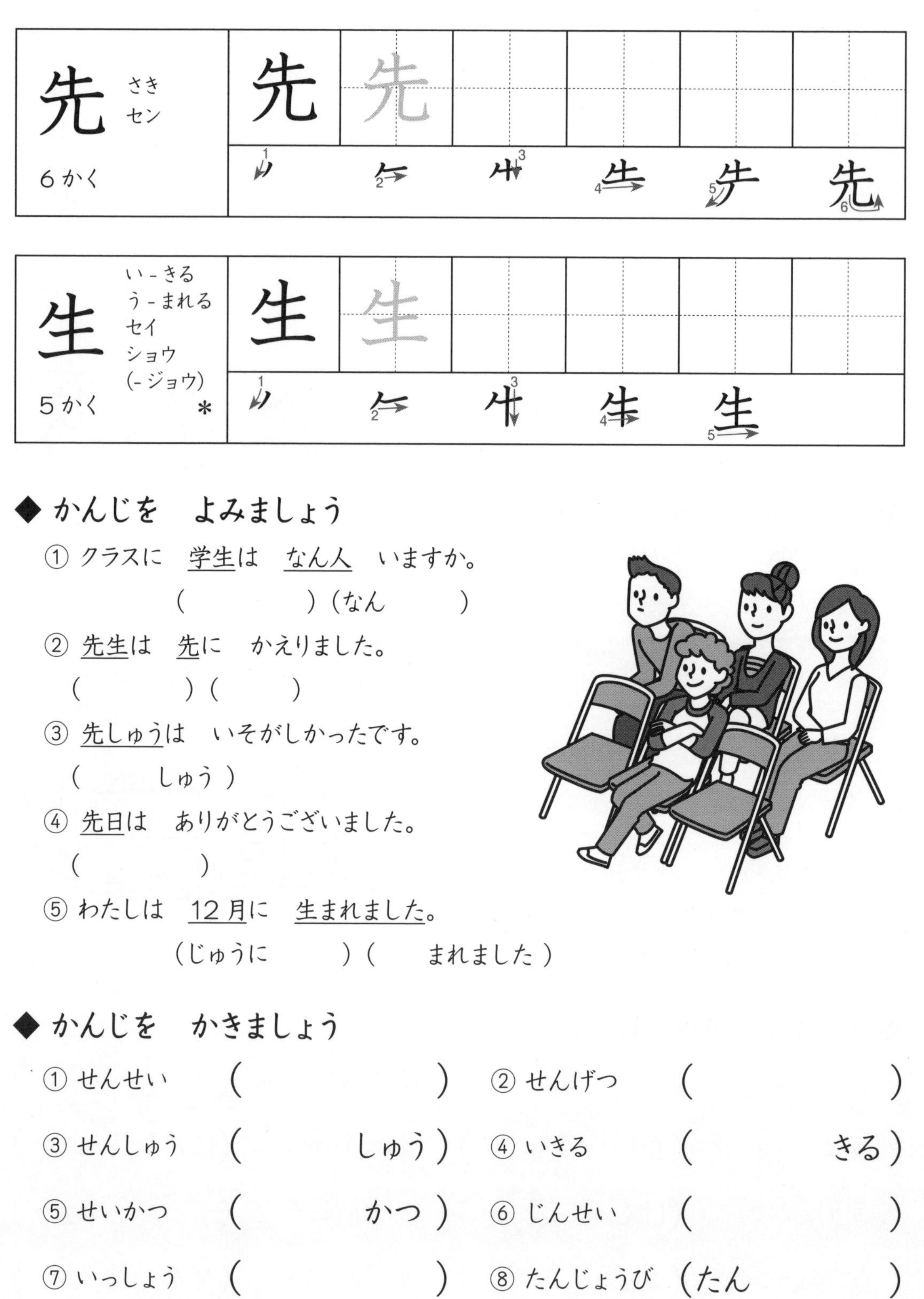

◆ かんじを　かきましょう

① せんせい　（　　　　）　② せんげつ　（　　　　）

③ せんしゅう　（　　　しゅう）　④ いきる　（　　　きる）

⑤ せいかつ　（　　　かつ）　⑥ じんせい　（　　　　）

⑦ いっしょう　（　　　　）　⑧ たんじょうび　（たん　　　）

◆ とくべつな　ことば

生ビール：なまビール

名　な　メイ　ミョウ　６かく	名	名				
	ノ	ク	タ	タ	名	名

字　ジ　６かく　*	字	字				
	丶	丷	宀	字	字	字

◆ かんじを　よみましょう

① ここに　名まえを　かいてください。
（　　まえ）

② わたしの　名字は　田中です。
（　　　　）（　　　　）

③ うちの　ちかくに　ゆう名な　こうえんが　あります。
（ゆう　　な）

④ この字は　なんと　よみますか。
（　　）

⑤ あした　かん字の　テストが　あります。
（かん　　）

◆ かんじを　かきましょう

① なまえ　（　　　まえ）

② めいしょ　（　　　しょ）

③ ちめい　（ち　　　）

④ ゆうめい　（ゆう　　　）

⑤ じ　（　　　）

⑥ もじ　（も　　　）

⑦ しゅうじ　（しゅう　　　）

⑧ かんじ　（かん　　　）

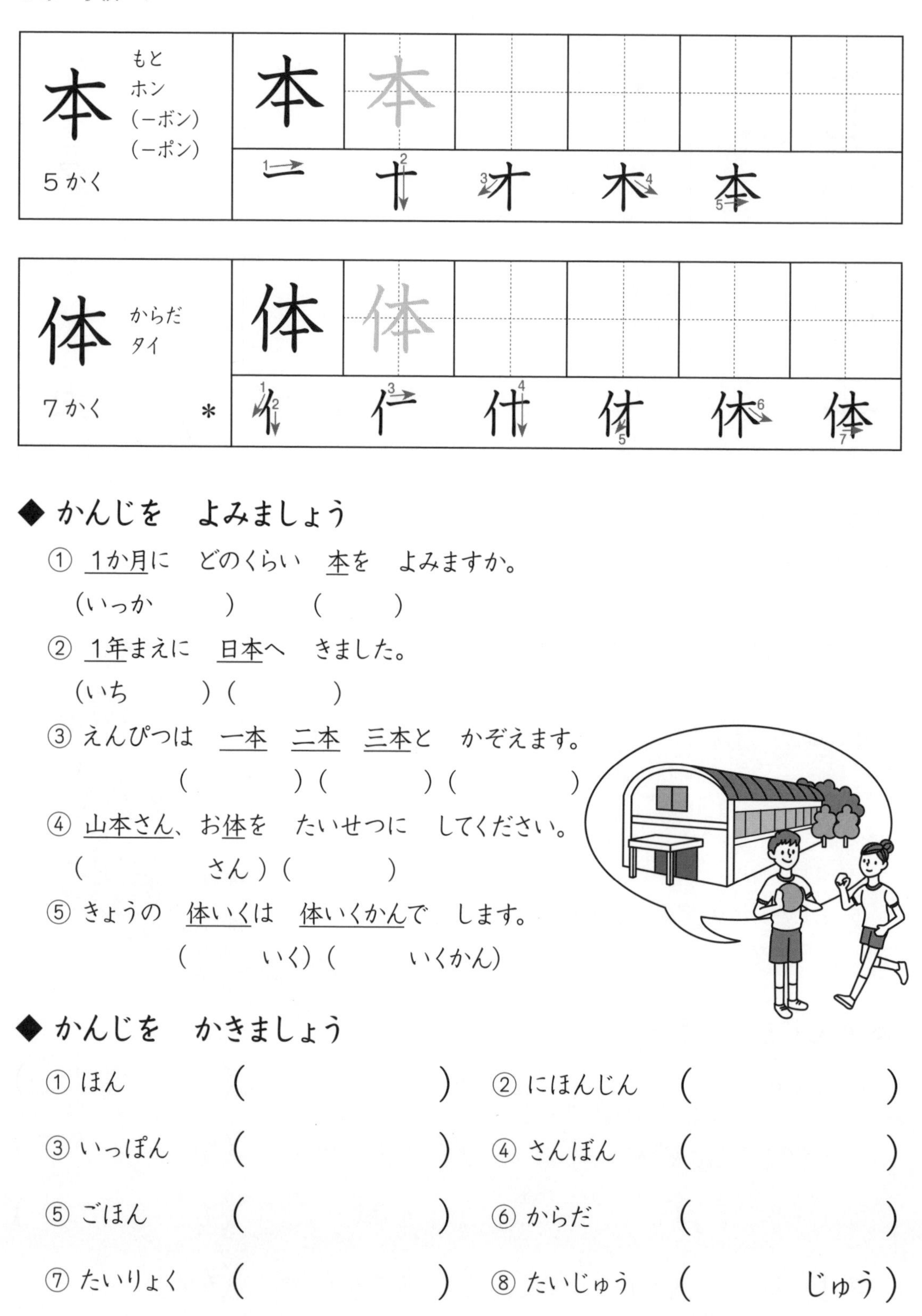

本	もと ホン （－ボン） （－ポン）	5かく
体	からだ タイ	7かく　＊

◆ かんじを　よみましょう

① 1か月に　どのくらい　本を　よみますか。
（いっか　　　）　（　　　）

② 1年まえに　日本へ　きました。
（いち　　　）（　　　）

③ えんぴつは　一本　二本　三本と　かぞえます。
（　　　）（　　　）（　　　）

④ 山本さん、お体を　たいせつに　してください。
（　　　さん）（　　　）

⑤ きょうの　体いくは　体いくかんで　します。
（　　　いく）（　　　いくかん）

◆ かんじを　かきましょう

① ほん　（　　　）　② にほんじん　（　　　）

③ いっぽん　（　　　）　④ さんぼん　（　　　）

⑤ ごほん　（　　　）　⑥ からだ　（　　　）

⑦ たいりょく　（　　　）　⑧ たいじゅう　（　　　じゅう）

6章(しょう)　ふくしゅう

【1】かんじを　よみましょう。

1. だい学(がく)で　ほうりつを　学んでいます。
2. らい月(げつ)　あねに　こどもが　生まれます。
3. ピアーズさんは　アークだい学(がく)の　学生です。
4. クラスに　おなじ　名字の　人(ひと)が　三人(さんにん)います。
5. この本は　むずかしいです。
6. 先月　雨(あめ)が　おおかったです。
7. 山川(やまかわ)さんは　体が　よわいです。
8. ここは　ゆう名な　ラーメンやです。
9. 山本さんは　かぜで　やすみました。
10. えんぴつを　一本　かしてください。

1	んで
2	まれます
3	
4	
5	
6	
7	
8	ゆう　　な
9	さん
10	

【2】かんじを　かきましょう。

1. わたしの　がっこうは　しぶやに　あります。
2. せんせいは　いつも　やさしいです。
3. はじめて　にほんへ　きました。
4. わたしの　おとうとは　ちゅうがくせいです。
5. じを　きれいに　おおきく　かいてください。
6. うちの　いぬは　十五(じゅうご)さいまで　いきました。
7. ビールを　さんぼん　かいました。
8. なまえを　よびます。　手(て)を　あげてください。
9. たいいくかんで　バスケットボールを　しました。
10. アルバイトが　あります。　さきに　かえります。

1	
2	
3	
4	
5	
6	きました
7	
8	まえ
9	いくかん
10	に

6章(しょう) クイズ

【1】かんじを　かきましょう。

【2】かんじを　かきましょう。

せんげつ　アークアカデミーで　おはなみを　しました。

①（　　　　）　　　　　②（お　　み）

せんせいが　じゅうにんと　がくせいが　さんじゅうにん　いました。

③（　　　）④（　　　）⑤（　　　）⑥（　　　　）

こうちょうせんせいの　いなりずしを　たべました。　とても　おいしかったです。

⑦（　　ちょう　　　　）

にほんへ　きて　はじめて　さくらを　みました。　たくさん　しゃしんを　とりました。

⑧（　　　　）

とても　たのしい　ひでした。

⑨（　　）

【3】かんじの　たしざんです。　かんじを　かいて　（　　　）に　よみかたを
かきましょう。

れい　（木 ＋ 交）＋ ちょう ＝ 校ちょう
（こうちょう）

1.　（夕 ＋ 口）＋ まえ ＝ 　まえ
（　　まえ）

2.　も ＋ （宀 ＋ 子） ＝ も
（も　　）

3.　（ノ ＋ ｜ ＋ 木 ＋ 一）＋ 力 ＝
（　　）

4.　（口 ＋ 一）＋（木 ＋ 一） ＝
（　　）

5.　（⺍＋冖＋子）＋（ノ＋｜＋三） ＝
（　　）

6.　（ノ＋土＋儿）＋（ノ＋｜＋三） ＝
（　　）

7章（しょう） 学校（がっこう） - 2

がっこうの　かんじです。えを　ヒントに　べんきょうしましょう。

These Kanji are related to school.
Let's study by getting hints from pictures.

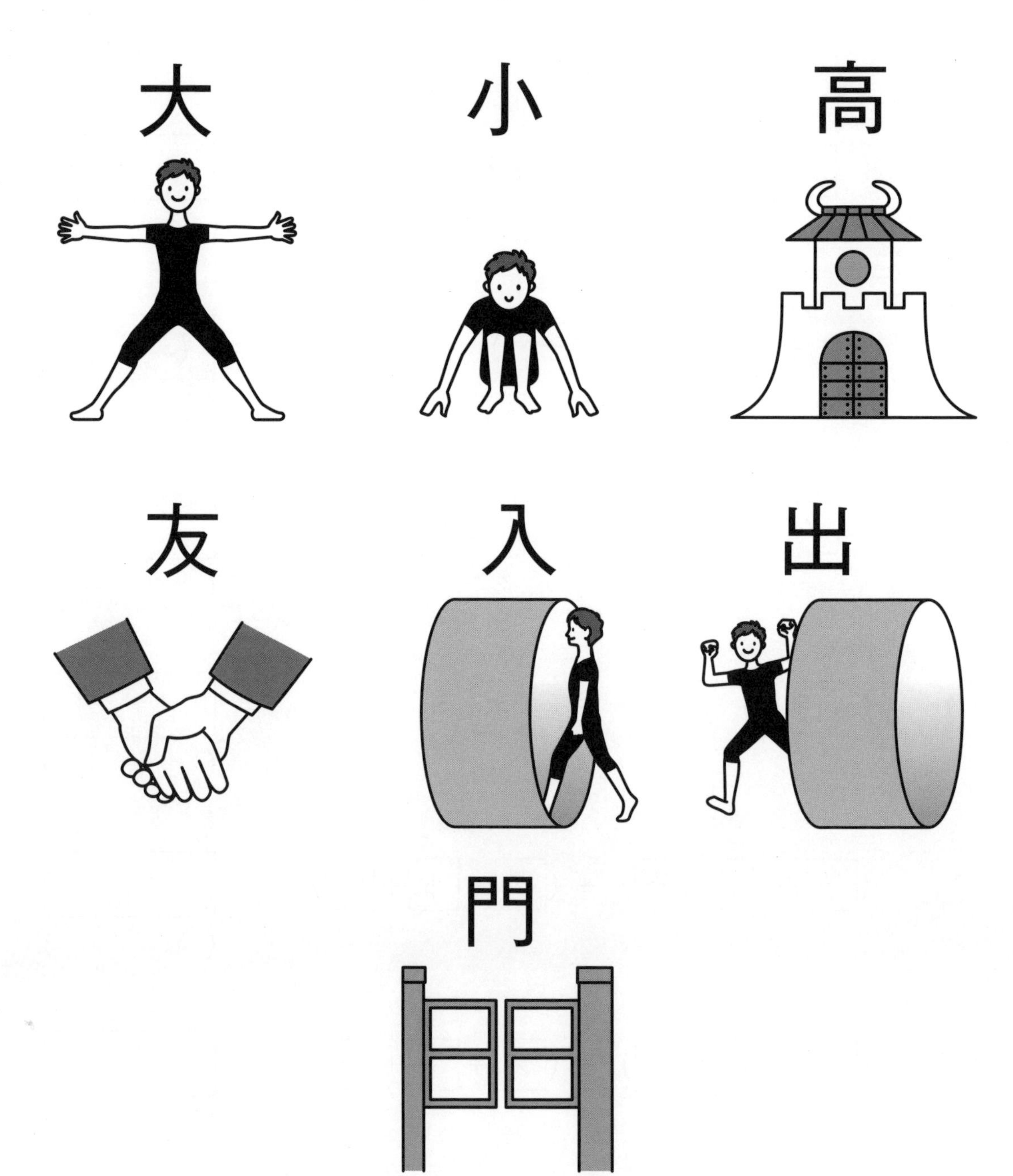

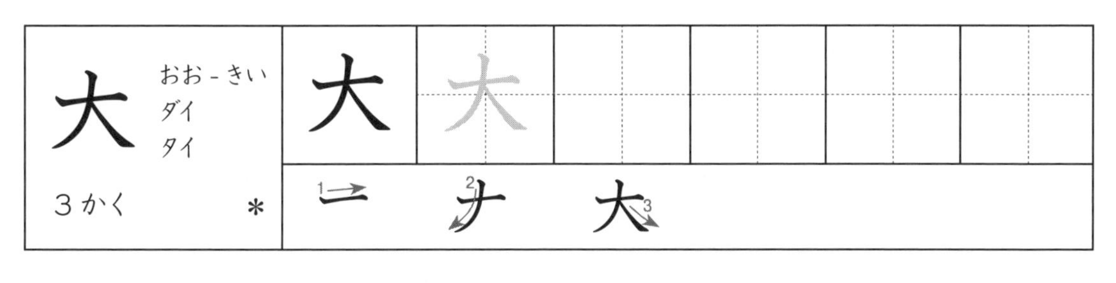

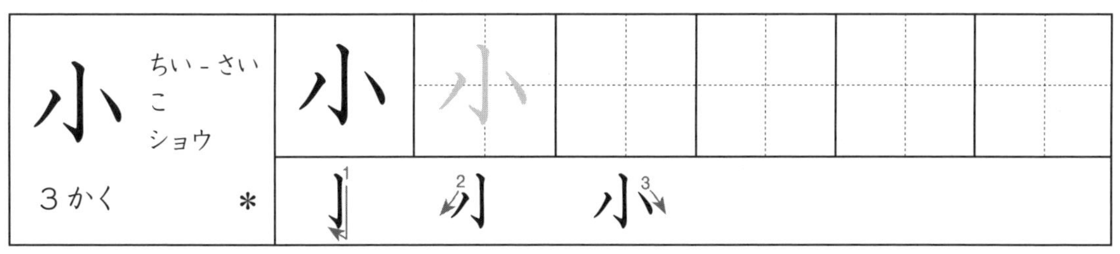

◆ かんじを　よみましょう

① 山川さんは　目が　大きいです。
（　　　　　さん）（　　）（　　　きい）

② わたしは　ラーメンが　大すきです。
（　　　すき）

③ かれは　わたしの　大せつな　人です。
（　　　せつな）（　　　）

④ このかばんは　小さいです。
（　　　さい）

⑤ わたしの　おとうとは　小学生です。
（　　　　　　　）

◆ かんじを　かきましょう

① おおきい　（　　　　きい）　② だいがく　（　　　　　　）

③ だいきらい　（　　　きらい）　④ たいせつ　（　　　　せつ）

⑤ ちいさい　（　　　　さい）　⑥ しょうがくせい（　　　　　　）

⑦ しょうがっこう（　　　　　　）　⑧ こぜに　（　　　　ぜに）

◆ とくべつな　ことば

大人：おとな

高 たか-い コウ 10 かく ＊	高	高				
	一	亠	亠	亠	高	高

友 とも ユウ 4 かく	友	友				
	一	ナ	方	友		

◆ かんじを　よみましょう

① 石川さんは　せが　高いです。
（　　　　さん）（　　い）

② わたしの　いもうとは　高校生です。
（　　　　）

③ このみせの　りょうりは　高いですが　おいしいです。
（　　い）

④ 友だちが　たくさん　います。
（　　だち）

⑤ 山田さんと　わたしは　しん友です。
（　　　さん）（しん　　　）

◆ かんじを　かきましょう

① たかい　（　　　　い）　② こうこう　（　　　　）

③ こうこうせい　（　　　　）　④ ともだち　（　　　だち）

⑤ しんゆう　（しん　　　）

入	い－れる はい－る ニュウ	入
2かく	＊	ノ　入

出	で－る だ－す シュツ （シュッ－）	出
5かく	＊	丨　屮　屮　出　出

◆ かんじを　よみましょう

① ノックを　してから　入ってください。
（　　　って）

② 入り口は　こちらです。　出口は　あちらです。
（　　り　　　）　　　（　　　　）

③ 日本は　4月に　入学しきが　あります。
（　　　　）（し　　　）（　　　　　しき）

④ このてがみを　出してください。
（　　して）

⑤ 友だちと　かいものに　出かけました。
（　　だち）　　（　　かけました）

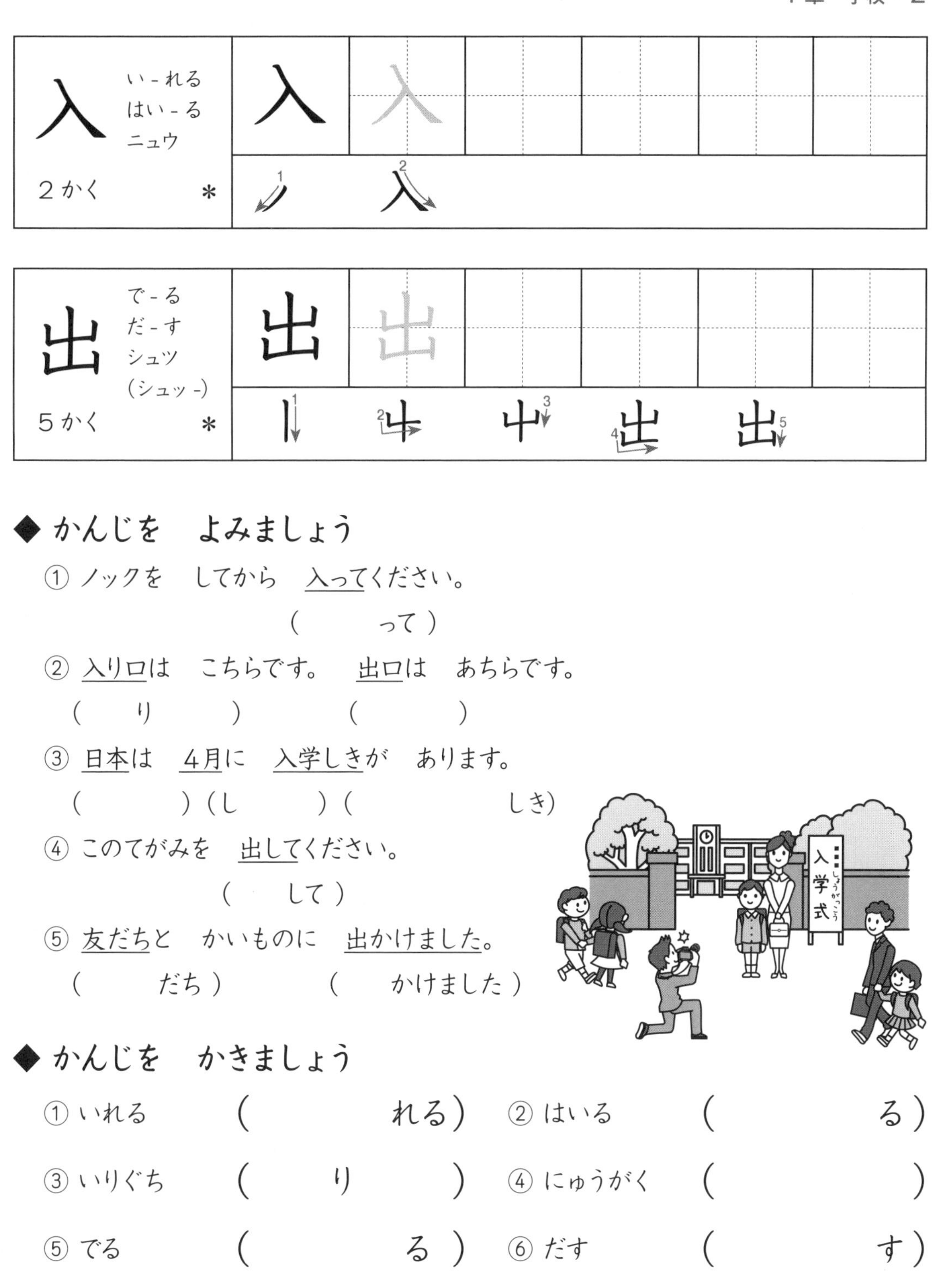

◆ かんじを　かきましょう

① いれる	（　　　れる）	② はいる	（　　　る）
③ いりぐち	（　　り　　）	④ にゅうがく	（　　　　）
⑤ でる	（　　　る）	⑥ だす	（　　　す）
⑦ しゅっせき	（　　　せき）	⑧ がいしゅつ	（　　　　）

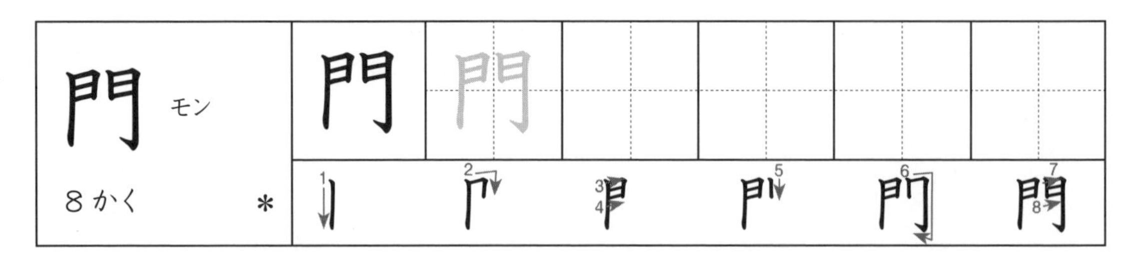

◆ かんじを　よみましょう

① 門の　そばに　くるまを　とめました。
（　　　）

② 校門の　まえで　まっています。
（　　　　　　）

③ わたしの　せん門は　けいざいです。
（せん　　　　）

④ パソコンの　入門しょを　かいました。
（　　　　　　　しょ）

◆ かんじを　かきましょう

① もん　（　　　　　）　② こうもん　（　　　　　）

③ せいもん　（せい　　　　）　④ せんもん　（せん　　　　）

⑤ にゅうもん　（　　　　　）

7章(しょう)　ふくしゅう

【1】かんじを　よみましょう。

1. 入学しきに　スーツを　きます。
2. パスポートは　大せつです。なくさないでください。
3. 山田(やまだ)さんには　高校生の　むすこが　います。
4. うちの　ちかくに　小学校が　あります。
5. わたしは　小さい　いぬを　かっています。
6. コーヒーに　さとうを　入れて　のみます。
7. 9じまでに　ごみを　出してください。
8. 川上(かわかみ)さんは　むかしからの　しん友です。
9. りょうりの　入門しょを　かいました。
10. ぶちょうは　いま　外出中です。

1	しき
2	せつ
3	
4	
5	さい
6	れて
7	して
8	しん
9	しょ
10	

【2】かんじを　かきましょう。

1. らい月(げつ)　だいがくの　しけんが　あります。
2. わたしには　しょうがくせいの　いもうとが　います。
3. でぐちは　まっすぐ　いって　右(みぎ)にあります。
4. くつを　ぬいで　へやに　はいってください。
5. やすみの　日(ひ)に　ともだちと　えいがに　いきました。
6. 石田(いしだ)さんの　うちは　とても　おおきいです。
7. このビルの　いりぐちは　あちらです。
8. へやを　でて　トイレへ　いきました。
9. このみせの　ようふくは　たかいです。
10. 学校(がっこう)の　もんの　まえで　しゃしんを　とりましょう。

1	
2	
3	
4	って
5	だち
6	きい
7	り
8	て
9	い
10	

7章(しょう)　クイズ

【1】かんじを　かきましょう。

きょうは　アークアカデミーの　にゅうがくしき　でした。
①（　　　しき）

うちから　でんしゃで　しぶやえきへ　いきました。

しぶやえきは　とても　おおきいですから　でぐちが　わかりませんでした。
②（　　　きい）③（　　　）

こうこうせいに　ききました。　よく　わかりました。５ふん　あるいて　がっこうに
④（　　　）　⑤（　　　）

つきました。きょうしつに　はいって　いすに　すわりました。
⑥（　　　って）

となりの　おんなのひとと　はなしを　しました。　なまえは　エンさんです。
⑦（　　の　　）　⑧（　　まえ）

エンさんは　こうこうを　そつぎょうして　にほんへ　きました。
⑨（　　　）　⑩（　　　）

たくさん　はなしを　して　わたしと　エンさんは　ともだちになりました。
⑪（　　　だち）

エンさんは　アークアカデミーを　そつぎょうして　だいがくに　はいります。
⑫（　　　）⑬（　　ります）

わたしは　だいがくいんに　はいりたいです。まだ　せんもんちしきが　ありませんから
⑭（　　　いん）⑮（　　りたい）　⑯（せん　　　）

これから　たくさん　ほんを　よまなければ　なりません。
⑰（　　　）

それから　にほんごの　べんきょうと　にほんぶんかも　まなびたいです。
⑱（　　　語(ご)）　⑲（　　　ぶんか）　⑳（　　びたい）

【2】□の　なかに　かんじを　かきましょう。

8章 かぞく

しょう

えから　できた　かんじです。

かぞくの　かんじを　べんきょうしましょう。

These Kanji are originally from pictures.
Let's study the Kanji related to family.

父 ちち フ 4かく	父	父				
	ノ	ハ	ク	父		

母 はは ボ 5かく	母	母				
	L	口	母	母	母	

◆ かんじを　よみましょう

① A：日本で　父の日は　いつですか。　B：六月の　だい三　日よう日です。
（　　　）（　の　）　（　　　）（　）（　よう　）

② わたしの　そ父は　八十八さいです。
（そ　）（　　　さい）

③ 母の日に　花と　カードを　あげました。
（　の　）（　）

④ あなたの　母ごは　なんですか。
（　　ご）

⑤ きのう　母校へ　あそびに　いきました。
（　　）

◆ かんじを　かきましょう

① ちち（　　　）　② そふ（そ　　）

③ はは（　　　）　④ ぼご（　　ご）

⑤ ぼこう（　　　）　⑥ そぼ（そ　　）

⑦ ふぼ（　　　）

◆ とくべつな　ことば

お父さん：おとうさん　お母さん：おかあさん

子 こ シ 3かく *	子	子				
	1	了2	子3			

男 おとこ ダン 7かく *	男	男				
	1	2	3	4 5	6	7

◆ かんじを　よみましょう

① 川で　子どもが　あそんでいます。
(　　　)(　　ども)

② A：お子さんは　おいくつですか。　B：一さい　です。
(お　　さん)　　　　　　　　　　(　　　さい)

③ クラスに　男子学生が　なん人　いますか。
(　　　　　　)(なん　　　)

④ 学校に　男の先生が　四人　います。
(　　　　)(　　の　　　)(　　　)

⑤ あの男せいの　名字は　なんですか。
(　　せい)(　　　)

◆ かんじを　かきましょう

① こども　(　　　ども)
② おこさん　(お　　　さん)
③ ふたご　(ふた　　　)
④ おとこ　(　　　)
⑤ おとこのこ　(　　の　　)
⑥ おとこのひと　(　　の　　)
⑦ だんし　(　　　)
⑧ だんせい　(　　　せい)

◆ とくべつな　ことば

ちょう男：ちょうなん

<table>
<tr><td>女　おんな
ジョ</td><td>女</td><td>女</td><td></td><td></td><td></td><td></td></tr>
<tr><td>３かく　＊</td><td colspan="6">く　女　女</td></tr>
</table>

◆ かんじを　よみましょう

① わたしは　きれいな　女の人が　すきです。
（　　の　　）

② こうえんに　女の子が　一人と　男の子が　二人　います。
（　　の　）（　　）（　　の　）（　　）

③ A：すみません。　女子トイレは　どこですか。
（　　）

B：まっすぐ　いって　右に　あります。
（　　）

④ わたしには　日本人の　かの女が　います。
（　　　）（かの　　）

◆ かんじを　かきましょう

① おんな　（　　　）　② おんなのこ　（　　の　　）

③ おんなのひと　（　　の　　）　④ じょし　（　　　）

⑤ じょせい　（　　せい）　⑥ だんじょ　（　　　）

⑦ かのじょ　（かの　　）　⑧ じょゆう　（　　ゆう）

犬 いぬ ケン 4かく	犬	犬				
	一	ナ	大	犬		

鳥 とり チョウ 11かく	鳥	鳥				
	′	亻	户	自	鳥	鳥

◆ かんじを　よみましょう

① まいあさ　犬の　さんぽを　します。
（　　　）

② 友だちから　かわいい　子犬を　もらいました。
（　　だち）　（　　　）

③ きれいな　鳥が　ベランダに　とまっています。
（　　　）

④ まい年　ふゆに　たくさんの　はく鳥が　日本へ　きます。
（まい　　）　（はく　　）（　　　）

⑤ 学校で　小鳥を　かっています。
（　　　）（　　　）

◆ かんじを　かきましょう

① いぬ　（　　　　）　② こいぬ　（　　　　）

③ こがたけん　（　　がた　　）　④ もうどうけん　（もうどう　　）

⑤ とり　（　　　　）　⑥ ことり　（　　　　）

⑦ はくちょう　（はく　　　）

8章(しょう)　ふくしゅう

【1】かんじを　よみましょう。

1. みずうみに　たくさんの　はく鳥が　います。
2. もうどう犬は　みせに　入(はい)ることが　できます。
3. やすみの日(ひ)に　子どもと　あそびます。
4. うけつけに　男せいが　います。
5. きのう　かの女と　デートしました。
6. わたしは　三人(さんにん)きょうだいの　ちょう男です。
7. わたしは　ふた子の　いもうとが　います。
8. お母さんの　しごとは　なんですか。
9. このクラスは　男女　あわせて　二十人(にじゅうにん)です。
10. 山田(やまだ)さんの　お父さんは　りょうりが　じょうずです。

1	はく
2	もうどう
3	ども
4	せい
5	かの
6	ちょう
7	ふた
8	お　さん
9	
10	お　さん

【2】かんじを　かきましょう。

1. ははのひに　花(はな)たばを　あげました。
2. たんじょうびに　こいぬを　もらいました。
3. わたしの　そふは　まいあさ　さんぽを　します。
4. 入り口(いりぐち)に　おんなのひとが　たっています。
5. こうえんで　おとこのこが　あそんでいます。
6. じょしトイレは　こうえんの　中(なか)に　あります。
7. わたしの　ちちは　とても　やさしい　人(ひと)です。
8. うちで　ことりを　かっています。
9. あなたの　ぼこうは　どちらですか。
10. クラスに　だんしがくせいが　十人(じゅうにん)います。

1	の
2	
3	そ
4	の
5	の
6	
7	
8	
9	
10	

8章（しょう）　クイズ

【1】えを　みて　□に　かんじを　かきましょう。

れい．お［父］さん

1．お［　］さん　　2．［　］ども　　3．［　］の人

4．［　］の人　　5．男の［　］　　6．女の［　］

7．［　］［　］学生　　8．［　］［　］学生

9．［　］　　10．［　］

【2】えを　みて　かんじを　かきましょう。

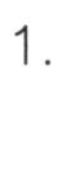

1.  ＝ □

2.  ＝ □

3.  ＝ □

4.  ＝ □

5. 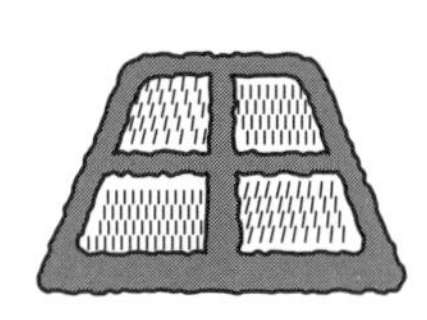 ＋ ＝ □

【3】ぶんを　よんで　かんじを　かいたり　よんだり　しましょう。

わたしの　かぞく

わたしは　①五人　かぞくです。②そふと　③ちちと　④母と　⑤いぬの　ポチです。
（　　）　（そ　）（　　）（　　）（　　）

②そふは　⑥七十六さいですが　とても　げんきです。
（そ　）（　　　さい）

③ちちは　⑦四十八さいです。⑧しょうがっこうの　⑨先生です。
（　　）（　　　さい）（　　　）（　　　）

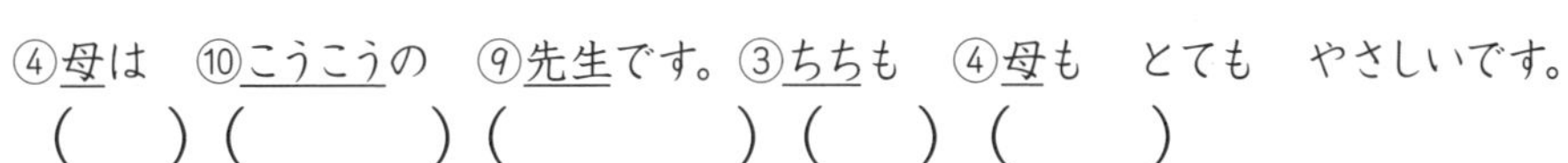

④母は　⑩こうこうの　⑨先生です。③ちちも　④母も　とても　やさしいです。
（　　）（　　　）（　　　）（　　）（　　）

ポチは　⑪2年まえ　うちへ　きました。わたしは　⑫まいにち　ポチと
（2　　まえ）　（まい　）

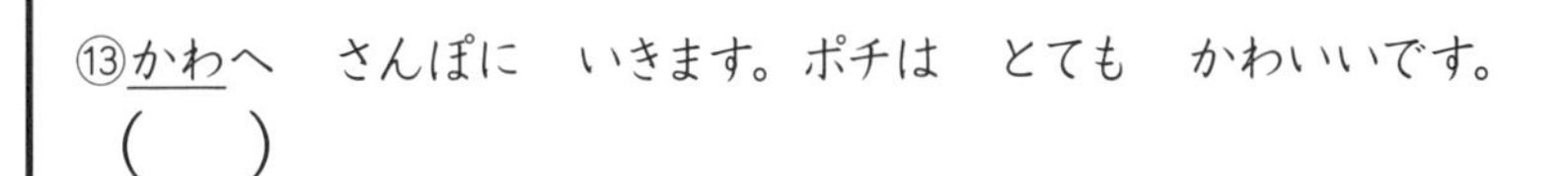

⑬かわへ　さんぽに　いきます。ポチは　とても　かわいいです。
（　　）

9章（しょう） どうし－1

どうしの　かんじです。

えを　ヒントに　べんきょうしましょう。

These Kanji are verbs.
Let's study by getting hints from pictures.

立

休

見

聞

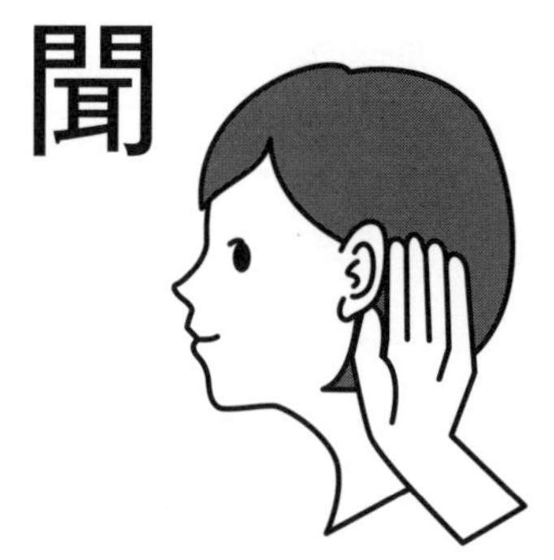

行

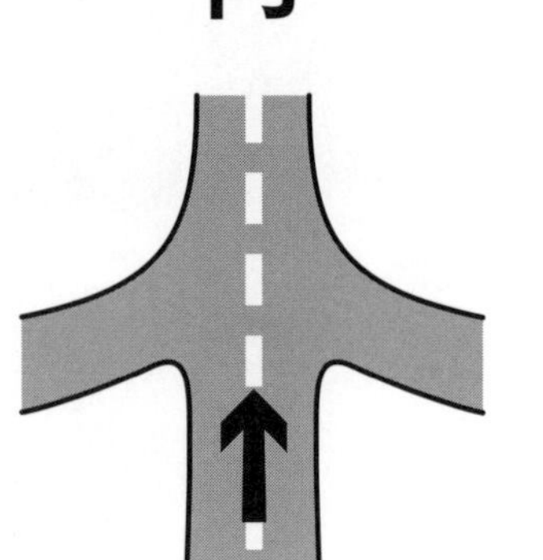

来

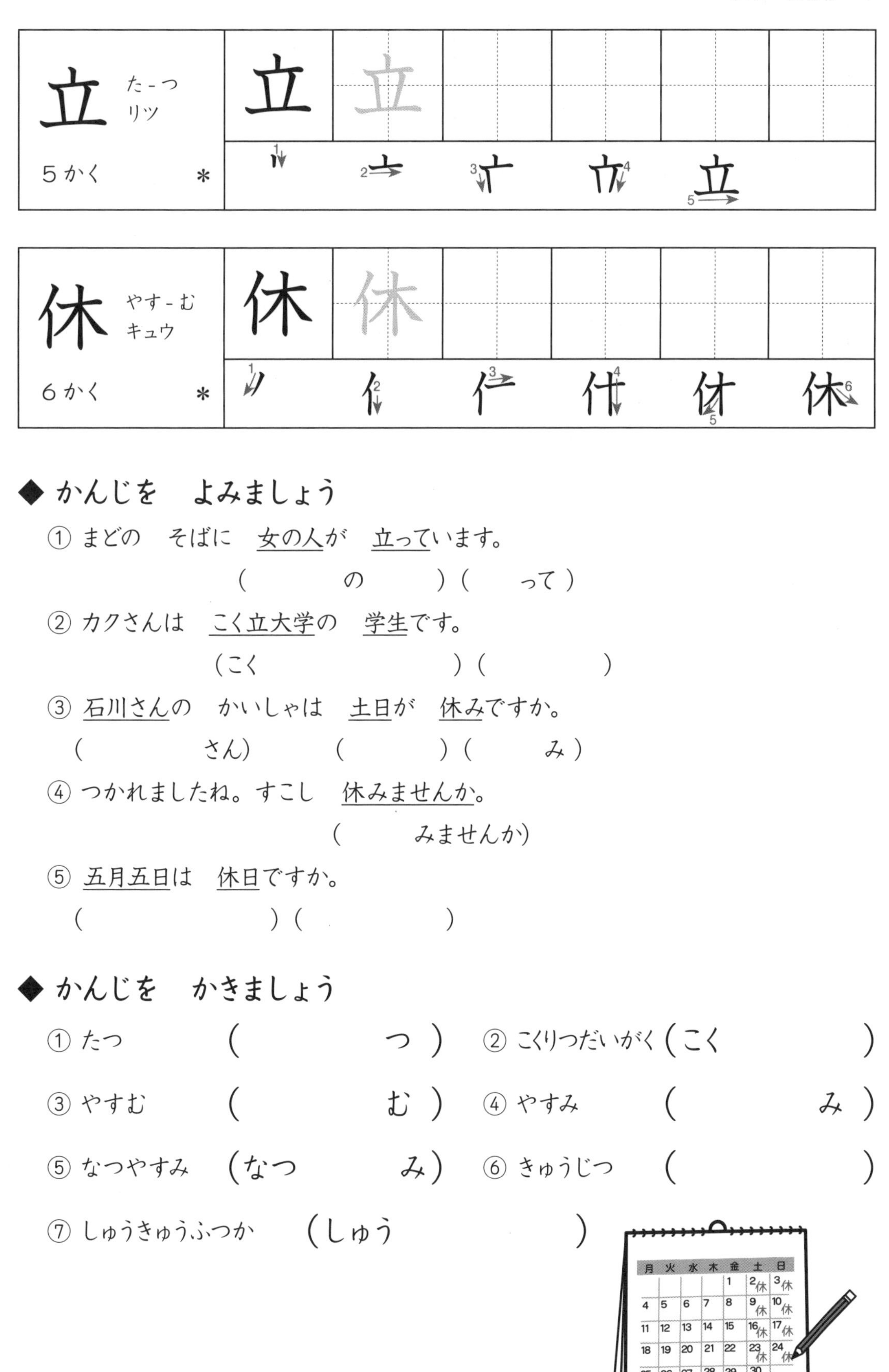

立　た－つ　リツ　5かく　＊	立	立				

休　やす－む　キュウ　6かく　＊	休	休				

◆ かんじを　よみましょう

① まどの　そばに　女の人が　立っています。
（　　　の　　　）（　　って）

② カクさんは　こく立大学の　学生です。
（こく　　　　　　）（　　　　）

③ 石川さんの　かいしゃは　土日が　休みですか。
（　　　　さん）　（　　　）（　　み）

④ つかれましたね。すこし　休みませんか。
（　　みませんか）

⑤ 五月五日は　休日ですか。
（　　　　　　）（　　　　）

◆ かんじを　かきましょう

① たつ　（　　　つ）
② こくりつだいがく（こく　　　　）
③ やすむ　（　　　む）
④ やすみ　（　　　み）
⑤ なつやすみ　（なつ　　　み）
⑥ きゅうじつ　（　　　　）
⑦ しゅうきゅうふつか　（しゅう　　　　）

見 みｰる みｰせる ケン 7かく ＊	見	見				

聞 きｰく ブン 14かく ＊	聞	聞				

◆ かんじを　よみましょう

① 日本の　アニメを　よく　見ますか。
（　　　）　　　　（　　ますか）

② パスポートを　見せてください。
（　　せて）

③ きのう　しん聞しゃを　見学しました。
（しん　　しゃ）（　　　）

④ なにか　い見が　ありますか。
（い　　）

⑤ CDを　聞いて　日本語を　べんきょうします。
（　　いて）（　　　ご）

◆ かんじを　かきましょう

① みる　（　　　る）　② はなみ　（　　　）

③ つきみ　（　　　）　④ けんがく　（　　　）

⑤ いけん　（い　　　）　⑥ きく　（　　　く）

⑦ しんぶん　（しん　　　）

行 いｰく おこなｰう コウ ギョウ 6かく ＊	行	行				
	1	2	3	4	5	6

来 くｰる ライ （きｰます） （こｰない） 7かく ＊	来	来				
	1	2 3	4	5	6	7

◆ かんじを　よみましょう

① こんどの　休みに　大さかへ　行きます。
（　　　み）（　　　さか）（　　きます）

② あのラーメンやの　行れつは　いつも　ながいです。
（　　　れつ）

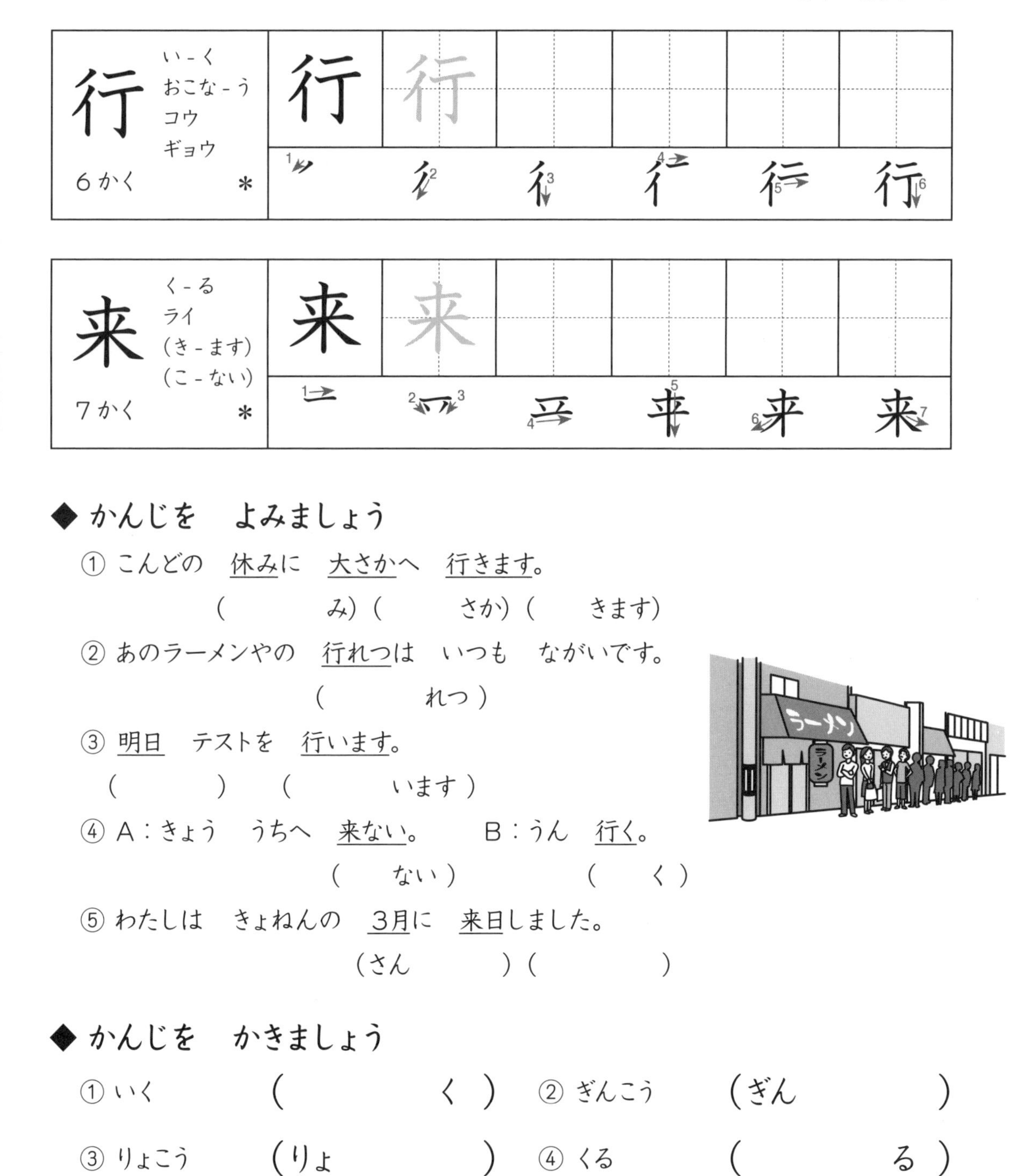

③ 明日　テストを　行います。
（　　　）（　　　います）

④ A：きょう　うちへ　来ない。　B：うん　行く。
（　　ない）　　（　　く）

⑤ わたしは　きょねんの　3月に　来日しました。
（さん　　　）（　　　　）

◆ かんじを　かきましょう

① いく　（　　　く）　② ぎんこう　（ぎん　　　）

③ りょこう　（りょ　　　）　④ くる　（　　　る）

⑤ きます　（　　　ます）　⑥ こない　（　　　ない）

⑦ らいねん　（　　　）　⑧ らいにち　（　　　）

帰 かえ-る キ 10 かく ＊	帰	帰				
	1 2	3	4 5 6	7 8	9	10

◆ かんじを　よみましょう

① なんじの　でんしゃで　<u>帰りますか</u>。
（　　　りますか）

② うちへ　<u>帰って</u>　ごはんを　たべます。
（　　　って）

③ ワンさんは　くにへ　<u>帰りました</u>。
（　　　りました）

④ <u>学校</u>の　<u>帰り</u>に　えいがを　<u>見ました</u>。
（　　　）（　　　り）（　　　ました）

⑤ わたしは　<u>来年</u>　<u>帰こく</u>します。
（　　　）（　　　こく）

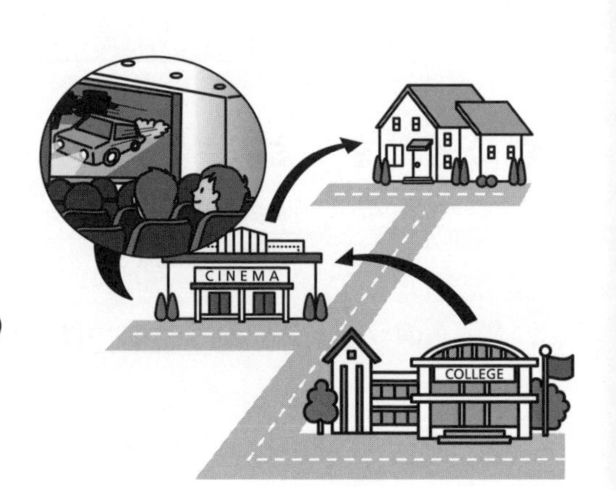

◆ かんじを　かきましょう

① かえる　（　　　る）　② かえり　（　　　り）

③ きこく　（　　　こく）　④ きたく　（　　　たく）

9章(しょう)　ふくしゅう

【1】かんじを　よみましょう。

1. まいばん　うちで　テレビを　見ます。
2. 来しゅう　友(とも)だちに　あいます。
3. ながい　行れつに　ならびます。
4. わたしは　こく立大学に　かよっています。
5. まいあさ　しん聞を　よみます。
6. いつ　帰こく　しますか。
7. わたしは　３月(がつ)に　来日しました。
8. ３じです。すこし　休みましょう。
9. 「きょう　パーティーに　来ない。」「うん　行く。」
10. あす　ごご2じから　かいぎを　行います。

1	ます
2	しゅう
3	れつ
4	こく
5	しん
6	こく
7	
8	み
9	ない
10	います

【2】かんじを　かきましょう。

1. くるまの　こうじょうを　けんがくします。
2. ラジオで　日本(にほん)の　おんがくを　ききました。
3. わたしは　まい日(にち)　でんしゃで　学校(がっこう)へ　きます。
4. きゅうじつに　こうえんを　さんぽします。
5. りょうしんと　ほっかいどうへ　いきました。
6. なつやすみに　うみで　およぎます。
7. わたしは　りょこうが　すきです。
8. きのう　6じに　うちへ　かえりました。
9. こうさてんに　けいさつかんが　たっています。
10. せんしゅう　はじめて　はなみを　しました。

1	
2	きました
3	ます
4	
5	きました
6	なつ　み
7	りょ
8	りました
9	って
10	

９章（しょう）　クイズ

【1】下（した）から　えらんで　□に　かんじを　かきましょう。
（　　）に　よみかたも　かきましょう。

れい．［立］ってください。
（ た ）

1．CDを［　］きます。
（　　）

2．アニメを［　］ます。
（　　）

3．日本（にほん）へ［　］ました。
（　　）

4．えいがかんへ［　］きませんか。
（　　）

5．うちへ［　］ります。
（　　）

6．つかれましたね。すこし［　］みませんか。
（　　）

~~立~~	行	見	休	来	聞	帰

【2】＿＿＿＿の　かんじの　よみかたを　（　　　）に　かきましょう。
1〜5は　だれですか。【　　　】に　名(な)まえを　かきましょう。

れい．あさ　しん聞を　よみます。【マリンさん】
（しんぶん）

1．まい日　6じに　うちへ　帰ります。【　　　　】
（まい　　　）（　　ります）

2．あさ　アルバイトに　行きます。【　　　　】
（　　きます）

3．テレビを　見ます。　それから　シャワーを　あびます。【　　　　】
（　　ます）

4．うちで　おんがくを　聞きます。【　　　　】
（　　きます）

5．ごご　1じに　学校へ　行きます。【　　　　】
（　　　）（　　きます）

ヨウさん

7:00	パンを たべます
10:00	がっこうへ いきます
14:00	うちへ かえります
18:00	おんがくを ききます
22:00	シャワーを あびます

マリンさん

7:00	しんぶんを よみます
9:00	アルバイトへ いきます
13:00	がっこうへ いきます
17:00	うちへ かえります
21:00	シャワーを あびます

ジェイクさん

9:00	がっこうへ いきます
13:00	アルバイトへ いきます
18:00	うちへ かえります
20:00	テレビを みます
22:00	シャワーを あびます

【3】かんじの　けいさんです。

1．刂　＋　ヨ　＋　巾　＝　□

2．門　＋　耳　＋　冃　＝　□

3．亠　＋　ハ　＋　一　＝　□

$\frac{1}{5}\times\frac{4}{3}$　$56\div26$　$\frac{2}{9}\div\frac{2}{7}$　$\frac{9}{10}\times\frac{1}{6}$

10章（しょう） たべもの

たべものの　かんじです。えを　ヒントに　べんきょうしましょう。

These Kanji are related to food.
Let's study by getting hints from pictures.

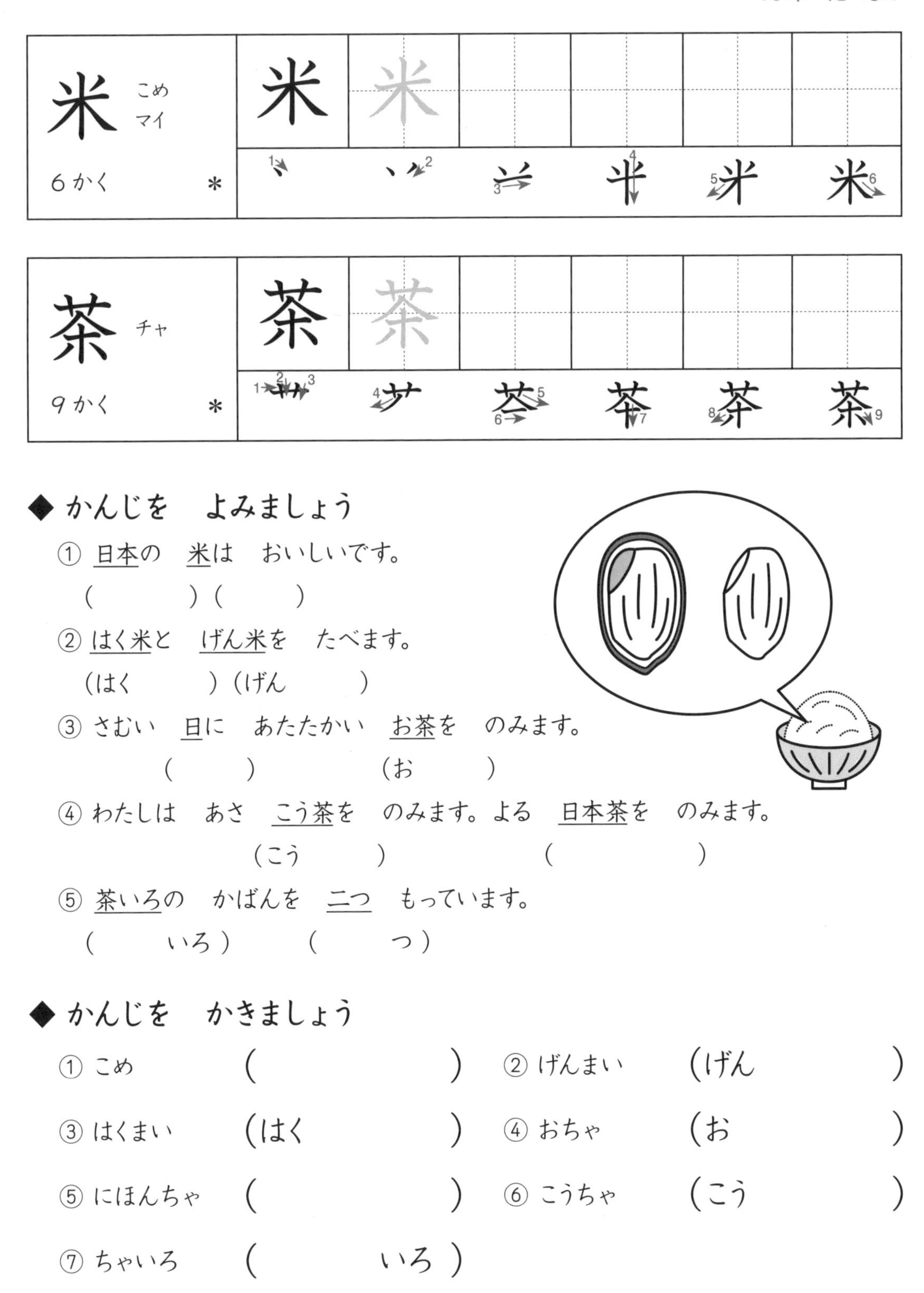

米　こめ　マイ

6かく　＊

茶　チャ

9かく　＊

◆ かんじを　よみましょう

① 日本の　米は　おいしいです。
（　　　　）（　　　）

② はく米と　げん米を　たべます。
（はく　　　）（げん　　　）

③ さむい　日に　あたたかい　お茶を　のみます。
（　　　）　　　　（お　　　）

④ わたしは　あさ　こう茶を　のみます。よる　日本茶を　のみます。
（こう　　　）　　　　（　　　　　）

⑤ 茶いろの　かばんを　二つ　もっています。
（　　　いろ）　（　　　つ）

◆ かんじを　かきましょう

① こめ　（　　　　　）

② げんまい　（げん　　　　）

③ はくまい　（はく　　　　）

④ おちゃ　（お　　　　）

⑤ にほんちゃ　（　　　　　）

⑥ こうちゃ　（こう　　　　）

⑦ ちゃいろ　（　　　いろ）

牛 うし ギュウ 4かく	牛 牛	1 2 3 4
肉 ニク 6かく	肉 肉	1 2 3 4 5 6

◆ かんじを　よみましょう

① ぼくじょうに　牛が　たくさん　います。
（　　　）

② コーヒーに　牛にゅうを　入れます。
（　　　にゅう）（　　れます）

③ 牛肉と　ぶた肉と　どちらが　すきですか。
（　　　　　）（ぶた　　　）

④ 友だちと　やき肉やへ　行きました。
（　　だち）（やき　　や）（　　きました）

⑤ とり肉は　体に　いいです。
（とり　　　）（　　　）

◆ かんじを　かきましょう

① うし　（　　　　　）　② ぎゅうにゅう　（　　　　にゅう）

③ ぎゅうにく　（　　　　　）　④ わぎゅう　（わ　　　　）

⑤ にく　（　　　　　）　⑥ やきにく　（やき　　　　）

⑦ とりにく　（とり　　　　）

魚 うお さかな (-ざかな) ギョ 11かく	魚	魚				

貝 かい (-がい) 7かく	貝	貝				

◆ かんじを　よみましょう

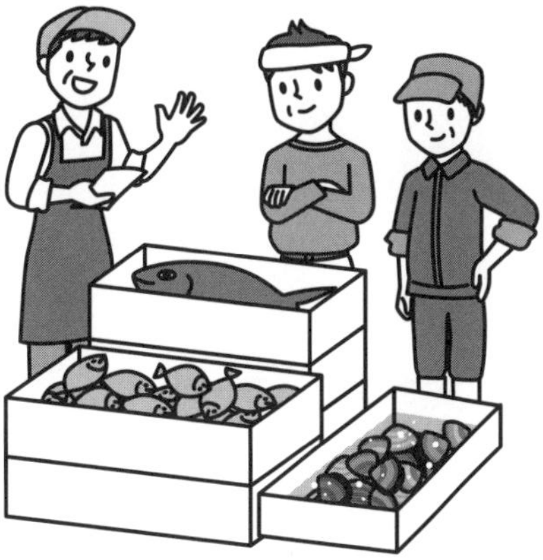

① 魚いちばは　あさ　はやく　はじまります。
（　　　いちば）

② 魚やで　しんせんな　魚を　かいます。
（　　　や）　（　　　）

③ 人魚の　はなしを　聞いたことが　ありますか。
（　　　）　（　　いた）

④ うみで　貝を　とりました。
（　　　）

⑤ いざかやで　あか貝の　さしみと　やき魚を　たべました。
（あか　　　）　（やき　　　）

◆ かんじを　かきましょう

① さかな　（　　　）　② やきざかな　（やき　　　）

③ うおいちば　（　　　いちば）　④ にんぎょ　（　　　）

⑤ きんぎょ　（　　　）　⑥ かい　（　　　）

⑦ あかがい　（あか　　　）　⑧ かいがら　（　　　がら）

好 (す-き) コウ 6かく ＊	好	好				
	く	女	女	女	好	好

物 もの ブツ モツ (ブッ-) 8かく	物	物				
	ノ	𠂉	牛	牛	牜	物

◆ かんじを　よみましょう

① わたしは　サッカーが　好きです。
（　き）

② わたしの　大好物は　牛肉の　ステーキです。
（　）（　）

③ きのう　スーパーで　かい物を　しました。
（かい　）

④ いっしょに　どう物えんへ　行きませんか。
（どう　えん）（　きませんか）

⑤ 日本は　物かが　高いですね。
（　）（　か）（　い）

◆ かんじを　かきましょう

① すき　（　き　）
② だいこうぶつ　（　）
③ かいもの　（かい　）
④ たべもの　（たべ　）
⑤ どうぶつえん　（どう　えん）
⑥ ぶっか　（　か　）
⑦ にもつ　（に　）

10章(しょう)　ふくしゅう

【1】かんじを　よみましょう。

1. わたしの　くつは　茶いろです。
2. らいしゅう　どう物えんへ　行(い)きます。
3. に物を　もちましょうか。
4. はじめて　魚いちばへ　行(い)きました。
5. あか貝の　さしみを　たべました。
6. 日本(にほん)は　物かが　高(たか)いです。
7. げん米は　体(からだ)に　いいです。
8. あさ　はやく　おきて　牛に　えさを　やります。
9. しょくじを　してから　こう茶を　のみます。
10. わたしの　大好物は　いちごです。

1	いろ
2	どう　えん
3	に
4	いちば
5	あか
6	か
7	げん
8	
9	こう
10	

【2】かんじを　かきましょう。

1. わたしは　日本(にほん)の　えいがが　すきです。
2. まい日(にち)　日本(にほん)の　おちゃを　のみます。
3. 友(とも)だちと　やきにくを　たべました。
4. スーパーで　さかなを　二(に)ひき　かいました。
5. まいあさ　ぎゅうにゅうを　のみます。
6. こめを　5キロ　かいました。
7. きらいな　たべものは　ありますか。
8. きれいな　かいを　見(み)つけました。
9. 友(とも)だちと　デパートで　かいものします。
10. うちで　きんぎょを　かっています。

1	き
2	お
3	やき
4	
5	にゅう
6	
7	たべ
8	
9	かい
10	

10章(しょう)　クイズ

【1】かんじの　どこかが　ちがいます。□に　ただしい　かんじを　かきましょう。

れい.

午　⇒　牛

1.

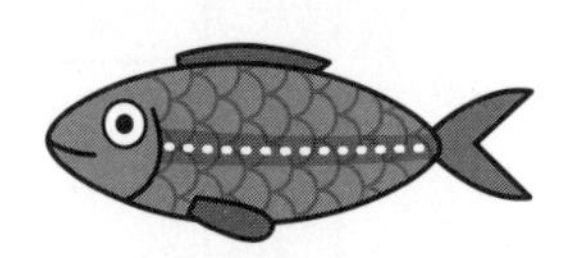

魚　⇒　□

2.

見　⇒　□

3.

釆　⇒　□

4.

筡　⇒　□

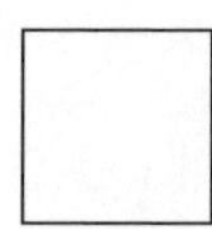

5.

内　⇒　□

【2】だれの　子どもですか。＿＿＿＿に　名まえを　かきましょう。

	れい	1.	2.	3.	4.
子ども					
好きな物					
なまえ	れい 石田さん	＿＿＿＿	＿＿＿＿	＿＿＿＿	＿＿＿＿

れい）石田（いしだ）さん：わたしの　子どもは　女の子です。肉が　好きです。
田中（たなか）さん：わたしの　子どもは　男の子です。肉が　好きです。
竹中（たけなか）さん：わたしの　子どもは　男の子です。お茶が　好きです。
山田（やまだ）さん：わたしの　子どもは　女の子です。魚が　好きです。
山川（やまかわ）さん：わたしの　子どもは　女の子です。お茶が　好きです。
石川（いしかわ）さん：わたしの　子どもは　男の子です。貝が　好きです。

【3】①～⑦を　よみましょう。そして　こたえましょう。

1. A：①好きな　②たべ物は　なんですか。
B：＿＿＿＿＿＿＿＿＿＿＿＿＿＿＿＿

2. A：③肉と　④魚と　どちらが　⑤好きですか。
B：＿＿＿＿＿＿＿＿＿＿＿＿＿＿＿＿

3. A：⑥好きな　⑦どう物は　なんですか。
B：＿＿＿＿＿＿＿＿＿＿＿＿＿＿＿＿

①　きな	②　たべ	③	④
⑤　き	⑥　きな	⑦　どう	

6章(しょう)～10章(しょう)　アチーブメントテスト

【1】かんじを　よみましょう。

1. まいあさ　しん聞を　よんでいます。
（しん　　　）

2. 先月　ふじ山(さん)に　のぼりました。
（　　　　）

3. ペンを　三本　かしてください。
（　　　　）

4. かれは　目(め)が　大(おお)きくて　せが　高いです。
（　　　い）

5. わたしの　そ父は　八十六(はちじゅうろく)さいです。
（そ　　　）

6. A：つかれましたね。すこし　休みませんか。
（　　　みませんか）

B：ええ、いいですね。お茶でも　のみましょう。
（お　　　）

7. あした　テストを　行います。
（　　　います）

8. わたしは　りんごが　大好物　です。
（　　　　　）

9. かいがんで　きれいな　貝を　たくさん　ひろいました。
（　　　）

【2】かんじを　かきましょう。

1. こくりつだいがく（こく　　　）　2. たいりょく（　　　）

3. みょうじ（　　　）　4. でぐち（　　　）

5. もん（　　　）　6. ことり（　　　）

7. きゅうじつ（　　　）　8. はなみ（　　　）

9. ぎゅうにく（　　　）　10. いぬ（　　　）

【3】ぶんを　よんで　かんじを　よんだり　かいたり　しましょう。

わたしは　はじめて　①日本へ　②来ました。そして　日本語(にほんご)③がっこうに　④はいりました。わたしの　クラスは　ぜんぶで　十四人(じゅうよにん)です。⑤男子学生が　九人(きゅうにん)で　⑥じょし学生が　五人(ごにん)です。　たんにんの　⑦先生は　田中(たなか)先生です。⑧男の　先生です。

がっこうが　おわってから　スーパーへ　⑨かい物に　⑩いきました。⑪お米と　⑫さかなを　かいました。うちへ　⑬かえってから　りょうりを　して　ルームメイトと　しょくじを　しました。よる　しゅくだいを　しました。⑭かんじが　とても　むずかしかったです。それから　テレビを　⑮見ました。ねる　まえに　⑯ちちと　⑰ははに　でんわを　しました。

日本の　⑱せいかつは　すこし　さびしいです。でも　これから　たくさん　⑲ともだちを　つくりたいです。わたしは　日本が　⑳だいすきですから　がんばります。

①	②　ました	③	④　りました
⑤	⑥	⑦	⑧
⑨　かい	⑩　きました	⑪　お	⑫
⑬　って	⑭　かん	⑮　ました	⑯
⑰	⑱　かつ	⑲　だち	⑳　き

11 章 しょう しぜん－2

くみあわせの かんじです。しぜんの かんじを べんきょうしましょう。

These are combinational Kanji.
Let's study the Kanji related to nature.

林

森

岩

畑

音

明

暗

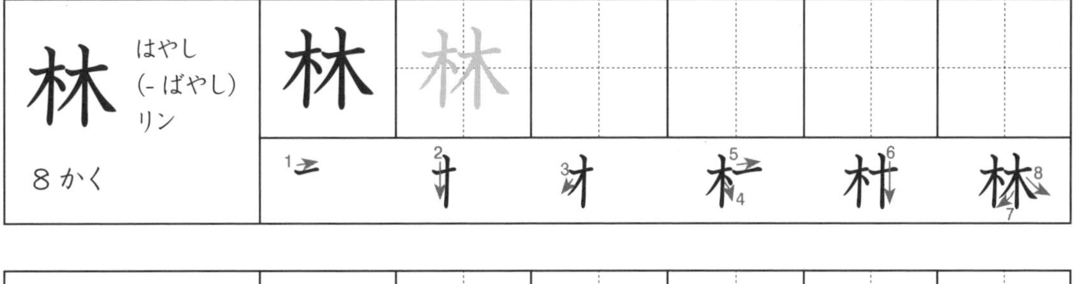

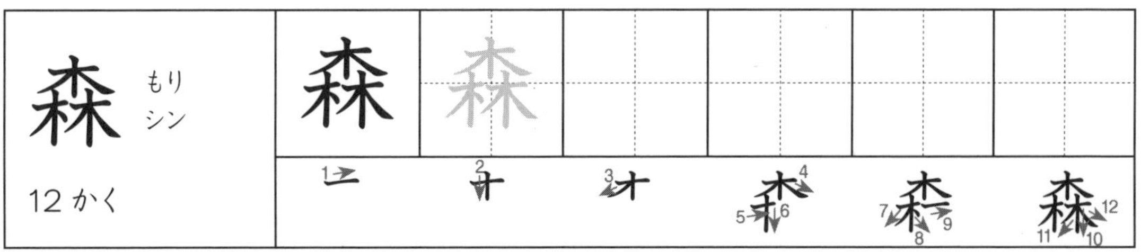

◆ かんじを　よみましょう

① うちの　ちかくに　林が　あります。
（　　）

② 竹林で　竹の子を　とりました。
（　　）（　　の　　）

③ 日本は　森林が　おおい　くにです。
（　　）（　　）

④ きのう　森の中を　さんぽしました。
（　　の　　）

⑤ あお森けんは　りんごが　ゆう名です。
（あお　　けん）（ゆう　　）

◆ かんじを　かきましょう

① はやし　（　　　）
② すぎばやし　（すぎ　　　）
③ さんりん　（　　　）
④ しんりん　（　　　）
⑤ もり　（　　　）
⑥ あおもりけん　（あお　　けん）
⑦ もりのなか　（　　の　　）
⑧ もりさん　（　　さん）

畑 はたけ (ばたけ) はた 9かく	畑	畑				

岩 いわ ガン 8かく	岩	岩				

◆ かんじを　よみましょう

① 畑で　トマトを　つくっています。
（　　　）

② とうきょうは　田畑が　すくないです。
（　　　）

③ あそこの　岩の上に　人が　立っています。
（　の　）（　　）（　って）

④ 来しゅう　はじめて　岩山に　のぼります。
（　しゅう）（　　）

⑤ よう岩を　見たことが　ありますか。
（よう　）（　た）

◆ かんじを　かきましょう

① はたけ　（　　　）
② たはた　（　　　）
③ トマトばたけ　（トマト　　）
④ いわ　（　　　）
⑤ いわのうえ　（　の　）
⑥ いわやま　（　　　）
⑦ ようがん　（よう　　）

音　おと ね オン 9かく　＊	音	音				

◆ かんじを　よみましょう

① あの音は　なんの　音ですか。
（　　　）（　　　）

② ピアノよりも　バイオリンの　音いろのほうが　好きです。
（　　いろ）（　　き）

③ 学校で　日本語の　はつ音を　れんしゅうします。
（　　　）（　　ご）（はつ　　）

◆ かんじを　かきましょう

① おと（　　　）　② はつおん（はつ　　）

③ おんがく（　　がく）　④ ねいろ（　　いろ）

明 あか－るい あ－ける メイ 8かく ＊	明	明				
	1	2	3 4	5	6	7 8

暗 くら－い アン 13かく	暗	暗				
	1 2 3 4	5 6	7 8	9	10 11	12 13

◆ かんじを　よみましょう

① わたしの　へやは　とても　明るいです。
（　　　るい）

② よが　明けて　外が　明るくなりました。
（　　けて）（　　　）（　　　るく）

③ 先生の　せつ明を　いっしょうけんめい　聞きます。
（　　　　）（せつ　　　）　　　　（　　きます）

④ へやが　暗いですから　でんきを　つけてください。
（　　　い）

⑤ この　ページを　暗きしてください。
（　　　き）

◆ かんじを　かきましょう

① あかるい　（　　　　るい）　② せつめい　（せつ　　　　）

③ よが あける　（よが　　　ける）　④ あけがた　（　　　けがた）

⑤ くらい　（　　　　い）　⑥ めいあん　（　　　　）

⑦ あんき　（　　　　き）　⑧ あんざん　（　　　ざん）

◆ とくべつな　ことば

明日：あした・あす

11章（しょう）　ふくしゅう

【1】かんじを　よみましょう。

1. しゅうまつ　森へ　ハイキングに　行（い）きました。
2. 明日までに　しゅくだいを　しなければなりません。
3. どんな　音楽が　好（す）きですか。
4. とうきょうは　田畑が　すくないです。
5. へやが　暗いですから　でんきを　つけましょう。
6. 先生（せんせい）が　かん字（じ）の　よみかたを　せつ明しました。
7. ギターよりも　ピアノの　音色のほうが　好（す）きです。
8. きのう　林の中（なか）で　きのこを　見（み）つけました。
9. よが　明けて　あさが　来（き）ました。
10. このあたりは　みかん畑が　おおいです。

1	
2	
3	がく
4	
5	い
6	せつ
7	いろ
8	
9	けて
10	みかん

【2】かんじを　かきましょう。

1. となりの　へやから　へんな　おとが　します。
2. もりの　おくに　きれいな　みずうみが　あります。
3. あけがたまで　本（ほん）を　よんでいました。
4. このページを　あんきしてください。
5. ようがんを　見（み）たことがありますか。
6. 日本（にほん）は　しんりんが　おおい　くにです。
7. にわの　はたけで　キャベツを　つくっています。
8. 外（そと）が　くらくなる　まえに　帰（かえ）りましょう。
9. あそこの　いわの　上（うえ）に　人（ひと）が　います。
10. そらが　あかるく　なりました。

1	
2	
3	けがた
4	き
5	よう
6	
7	
8	く
9	
10	るく

11 章(しょう)　クイズ

【1】下(した)の　えを　見(み)て、かんじを　かきましょう。

れい

好

1.

2.

3.

4.

5.

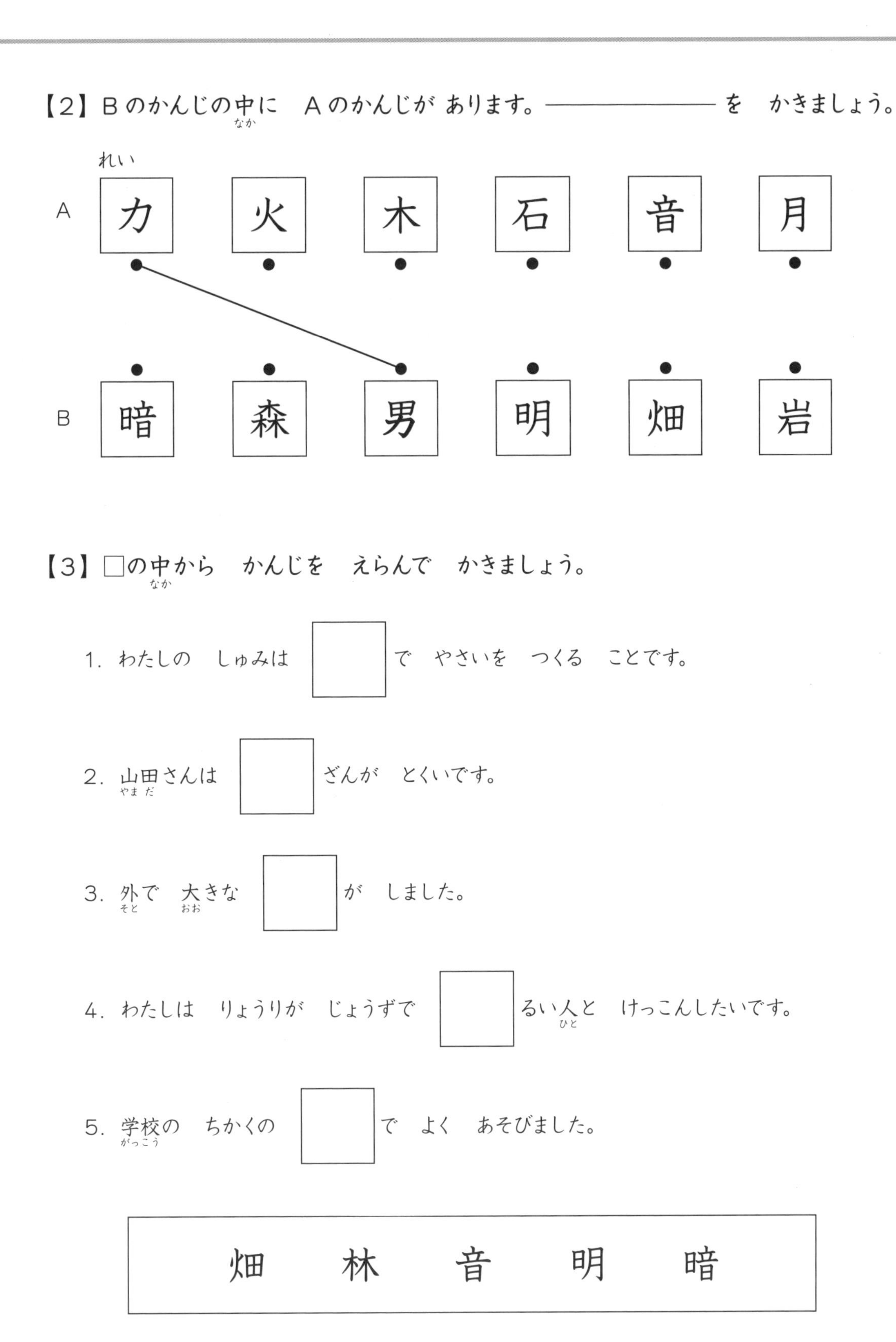

【2】Ｂのかんじの中(なか)に　Ａのかんじが　あります。―――――― を　かきましょう。

れい

A	力	火	木	石	音	月
B	暗	森	男	明	畑	岩

【3】□の中(なか)から　かんじを　えらんで　かきましょう。

1. わたしの　しゅみは □ で　やさいを　つくる　ことです。

2. 山田(やまだ)さんは □ ざんが　とくいです。

3. 外(そと)で　大(おお)きな □ が　しました。

4. わたしは　りょうりが　じょうずで □ るい人(ひと)と　けっこんしたいです。

5. 学校(がっこう)の　ちかくの □ で　よく　あそびました。

畑　林　音　明　暗

12章（しょう） どうし－2

どうしの　かん字（じ）です。えを　ヒントに　べんきょうしましょう。

These Kanji are verbs.
Let's study by getting hints from pictures.

言

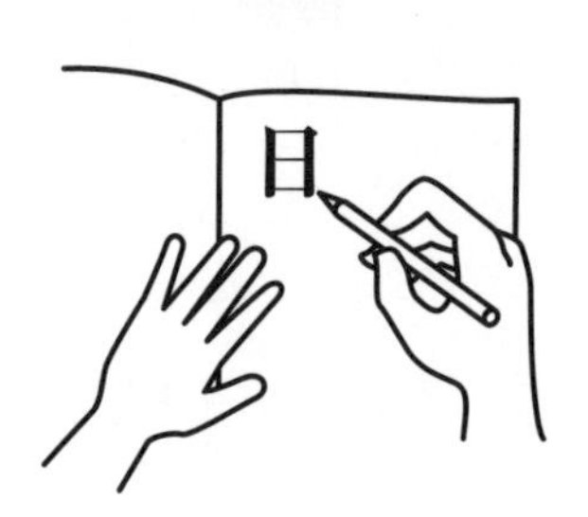

読

話

買

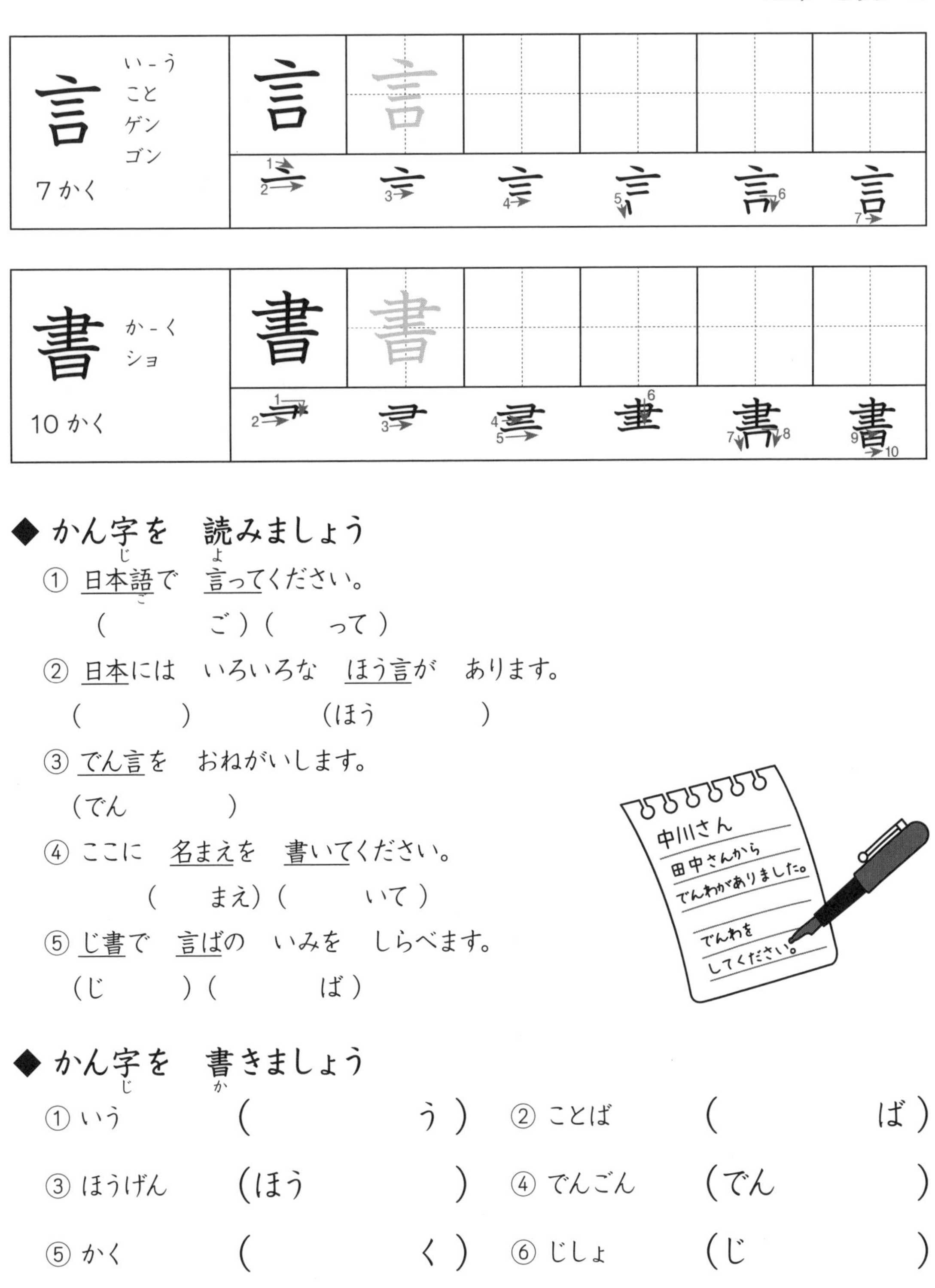

言	いーう こと ゲン ゴン	7かく
書	かーく ショ	10かく

◆ かん字(じ)を　読(よ)みましょう

① 日本語(ご)で　言ってください。
（　　　ご）（　　って）

② 日本には　いろいろな　ほう言が　あります。
（　　　）　　　　（ほう　　　）

③ でん言を　おねがいします。
（でん　　　）

④ ここに　名まえを　書いてください。
（　　まえ）（　　いて）

⑤ じ書で　言ばの　いみを　しらべます。
（じ　　　）（　　　ば）

◆ かん字(じ)を　書(か)きましょう

① いう　（　　　　う）

② ことば　（　　　　ば）

③ ほうげん　（ほう　　　　）

④ でんごん　（でん　　　　）

⑤ かく　（　　　　く）

⑥ じしょ　（じ　　　　）

⑦ しょどう　（　　　　どう）

読 よ-む ドク 14かく *	読	読				
	1-8	9	10 11	12	13	14

話 はな-す はなし ワ 13かく	話	話				
	1-8	9	10	11	12	13

◆ かん字(じ)を　読(よ)みましょう

① まいばん　本を　読みます。
　　（　　）（　　みます）

② 川口さんは　読書が　好きです。
（　　　さん）（　　　）（　き）

③ 中山さんと　きっさてんで　2じかん　話しました。
（　　　さん）　　　　　　（　　しました）

④ ゆう名な　大学の　先生の　話を　聞きました。
（ゆう　な）（　　）（　　）（　　）（　　きました）

⑤ かい話の　れんしゅうを　しましょう。
（かい　　）

◆ かん字(じ)を　書(か)きましょう

① よむ　（　　　む）　② どくしょ　（　　　）

③ おんどく　（　　　）　④ はなす　（　　　す）

⑤ はなし　（　　　）　⑥ かいわ　（かい　　）

⑦ でんわ　（でん　　）　⑧ しゅわ　（　　　）

食　たｰべる　ショク　9かく　＊

飲　のｰむ　イン　12かく

◆ かん字(じ)を　読(よ)みましょう

① ひるごはんは　なにを　食べましたか。
（　　べましたか）

② こんばん　いっしょに　食じを　しませんか。
（　　じ）

③ 学校の　食どうで　おひるごはんを　食べました。
（　　　）（　　どう）　（　　べました）

④ あたたかい　お茶を　飲みます。
（お　　　）（　　みます）

⑤ 飲食てんで　アルバイトを　しています。
（　　　　てん）

◆ かん字(じ)を　書(か)きましょう

① たべる　（　　べる）　② たべもの　（　　べ　　）

③ しょくじ　（　　じ）　④ しょくどう　（　　どう）

⑤ のむ　（　　む）　⑥ のみもの　（　　み　　）

⑦ いんしょくてん（　　てん）

買　かーう　バイ	買	買				
12かく						

◆ かん字(じ)を　読(よ)みましょう

① きのう　デパートで　大きい　かばんを　買いました。
　（　　きい）（　いました）

② 休日は　よく　友だちと　買い物に　行きます。
　（　　　）（　　だち）（　い　　）（　　きます）

◆ かん字(じ)を　書(か)きましょう

① かう　（　　　う）　② かいもの　（　い　　）

③ ばいばい　（ばい　　　）

12章（しょう）　ふくしゅう

【1】かん字（じ）を　読（よ）みましょう。

1. 学校（がっこう）に　でん話を　かけました。
2. 一（いち）ばん　好（す）きな　食べ物は　なんですか。
3. 「おおきに」は　かんさいの　ほう言です。
4. 1ヵ月（かげつ）に　十（じっ）さつ　本（ほん）を　読みます。
5. この言ばの　いみは　なんですか。
6. まいあさ　コーヒーを　飲みます。
7. わたしは　こわい話が　大好（だいす）きです。
8. 飲食てんで　アルバイトを　したいです。
9. こんど　いっしょに　食じを　しませんか。
10. すみませんが　もういちど　言ってください。

1	でん
2	べ
3	ほう
4	みます
5	ば
6	みます
7	
8	てん
9	じ
10	って

【2】かん字（じ）を　書（か）きましょう。

1. きのう　はじめて　さしみを　たべました。
2. わたしの　しゅみは　どくしょです。
3. きょう　あたらしい　でん子（し）じ書（しょ）を　かいます。
4. 山下（やました）さんに　でんごんを　おねがいします。
5. かいわを　もっと　れんしゅうしましょう。
6. 明日（あした）　しぶやへ　かいものに　行（い）きます。
7. こちらに　お名（な）まえと　じゅうしょを　かいてください。
8. なにか　のみものは　いかがですか。
9. きのう　母（はは）と　1じかん　はなしました。
10. このしょくどうの　りょうりは　おいしいです。

1	べました
2	
3	います
4	でん
5	かい
6	い
7	いて
8	み
9	しました
10	どう

12章(しょう)　クイズ

【1】（　　）の　も字(じ)を　つかって　□に　かん字(じ)を　書(か)きましょう。

罒	売	日	良	舌	飠	貝

（れい）でん［言］を　おねがいします。

1. ［欠］み物(もの)は　なにが　いいですか。
2. でん［言］を　かけます。
3. ［八］じに　行(い)きませんか。
4. じ［聿］で　しらべます。
5. スーパーで［罒］い物(もの)を　します。
6. 音(おん)［言］を　します。

【2】サリーさんの　にっきです。かん字(じ)を　よみましょう。

せんしゅうの　日よう日　マリアさんと　買い物に　行きました。
（（れい）にちようび）　①（　い　）②（　きました）

デパートで　二千円の　サンダルを　買いました。
③（　　　）④（　いました）

それから　ゆう名な　カレーやで　ひるごはんを　食べました。みせに　人が　たくさん
⑤（ゆう　な）　⑥（　べました）　⑦（　　）

いましたから　名まえを　書いて　まちました。
⑧（　まえ）⑨（　いて）

カレーは　とても　おいしかったです。

マリアさんも　「30分　まちましたが　よかったです。」と　言いました。
⑩（さんじっ　　）　⑪（　いました）

それから　カフェで　お茶を　飲みました。2じかん　話しました。
⑫（お　　）⑬（　みました）⑭（　しました）

たのしい　一日でした。
⑮（　　　）

【3】なにを　していますか。かんじ字(じ)で　書(か)きましょう。

1．パットさんは　本(ほん)を（　　　　　）います。

2．トムさんは　でんわで（　　　　　）います。

3．ロビンさんは　ジュースを（　　　　　）います。

4．マリーさんは　音(おん)がくを（　　　　　）います。

5．ジムさんは　おかしを（　　　　　）います。

6．キャリーさんは　お茶(ちゃ)を（　　　　　）います。

13章(しょう) 町(まち)

まちの　かん字(じ)です。えを　ヒントに　べんきょうしましょう。

These Kanji are related to town.
Let's study by getting hints from pictures.

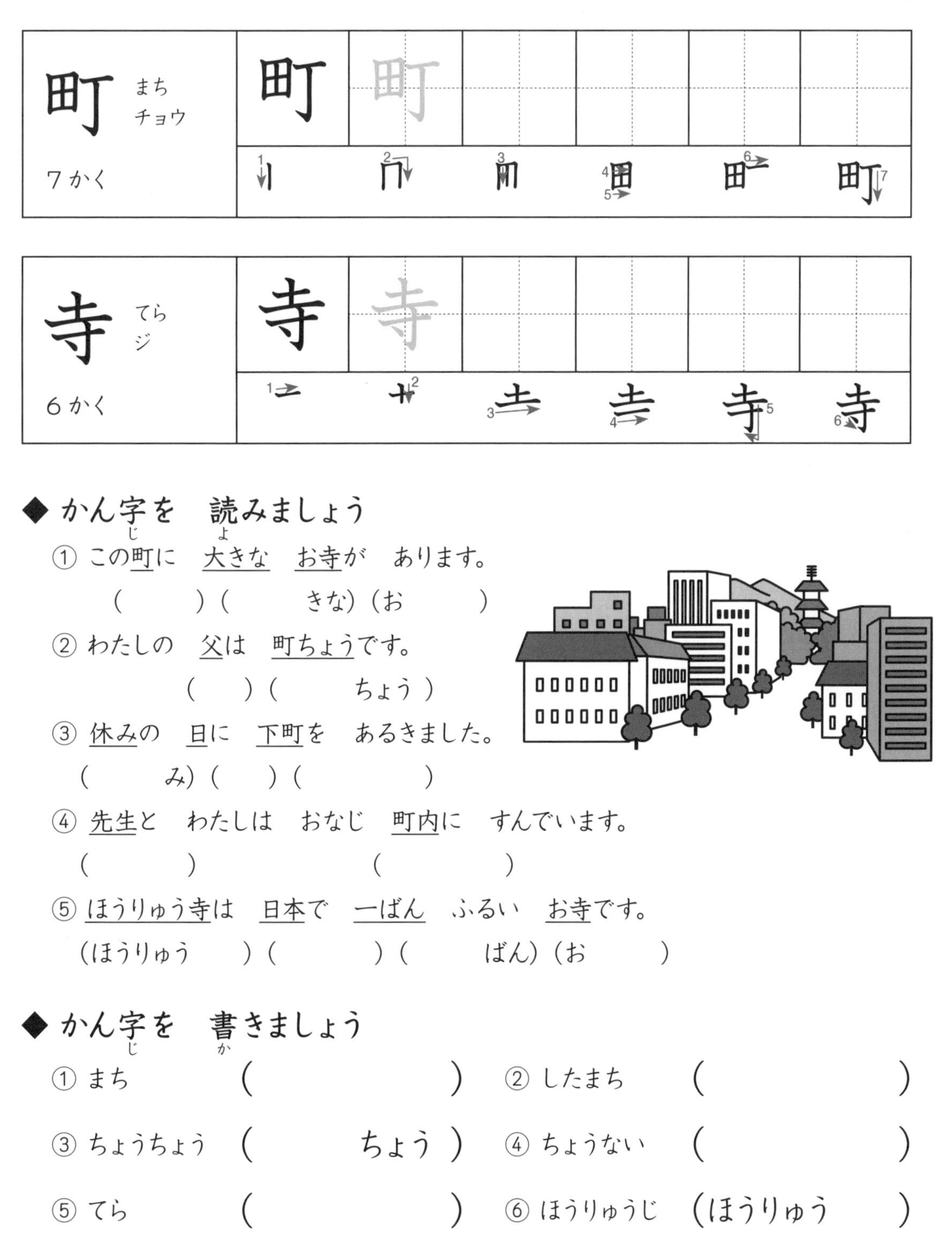

町　まち　チョウ 7かく	町	町				

寺　てら　ジ 6かく	寺	寺				

◆ かん字(じ)を　読(よ)みましょう

① この町に　大きな　お寺が　あります。
(　　　)(　　　きな)(お　　　)

② わたしの　父は　町ちょうです。
(　　)(　　　ちょう)

③ 休みの　日に　下町を　あるきました。
(　　　み)(　　)(　　　　)

④ 先生と　わたしは　おなじ　町内に　すんでいます。
(　　　)　　　　　　(　　　)

⑤ ほうりゅう寺は　日本で　一ばん　ふるい　お寺です。
(ほうりゅう　　)(　　　)(　　　ばん)(お　　　)

◆ かん字(じ)を　書(か)きましょう

① まち　(　　　　　)　② したまち　(　　　　　)

③ ちょうちょう　(　　　ちょう)　④ ちょうない　(　　　　　)

⑤ てら　(　　　　　)　⑥ ほうりゅうじ　(ほうりゅう　　)

電 デン 13かく	電	電				
	2↓1→	3 4	5 7 6 8	9 10	11 12	13 電

車 くるま シャ 7かく	車	車				
	1→	2	3	4 5	6	7 車

◆ かん字(じ)を　読(よ)みましょう

① この電車は　しんじゅくへ　行きますか。
（　　　　）　（　　きますか）

② へやの　電きを　つけます。
（　　き）

③ 友だちに　電話を　しました。
（　　だち）（　　　）

④ うちから　えきまで　車で　5ふんです。
（　　　）

⑤ じてん車で　買い物に　行きます。
（じてん　　）（　　い　　）（　　きます）

◆ かん字(じ)を　書(か)きましょう

① でんき　（　　　　き）　② でんわ　（　　　　）

③ でんしゃ　（　　　　）　④ でんりょく　（　　　　）

⑤ くるまいす　（　　　いす）　⑥ じてんしゃ　（じてん　　）

⑦ しゃない　（　　　　）　⑧ じどうしゃ　（じどう　　）

東 ひがし トウ 8かく	東	東				
	一	丆	万	百	申	東

西 にし セイ 6かく *	西	西				
	一	丆	万	丙	两	西

◆ かん字(じ)を　読(よ)みましょう

① 学校は　えきの　東に　ありますか。西に　ありますか。
（　　　　）（　　　　）　（　　　）

② 東きょうの　人口は　どのくらいですか。
（　　　きょう）（　　　　）

③ 西口に　大きな　デパートが　あります。
（　　　　）（　　　きな）

④ きょうは　ほく西の　かぜが　つよいです。
（ほく　　　）

⑤ きのう　西日本に　大雨が　ふりました。
（　　　　）（　　　　）

N
W　E
S

◆ かん字(じ)を　書(か)きましょう

① ひがし（　　　　）
② ひがしぐち（　　　　）
③ ひがしにほん（　　　　）
④ かんとうちほう（かん　　　ちほう）
⑤ にし（　　　　）
⑥ にしぐち（　　　　）
⑦ にしにほん（　　　　）

◆ とくべつな　ことば

かん西：かんさい

南 みなみ ナン 9かく　＊	南	南				
	一	十	冂	丙	両	南

北 きた ホク （ホッ-） 5かく	北	北				
	一	丨	扌	丬	北	

◆ かん字を　読みましょう

① 友だちと　南アメリカを　りょ行しました。
（　　だち）（　　アメリカ）（りょ　　）

② 南ごくの　フルーツは　あまくて　おいしいです。
（　　ごく）

③ ゆうびんきょくは　北口から　あるいて　3ぷんぐらいです。
（　　　）

④ 北かいどうは　日本の　一ばん　北に　あります。
（　　かいどう）（　　　）（　　ばん）（　　）

⑤ 東北ちほうは　ゆきが　たくさん　ふります。
（　　　ちほう）

◆ かん字を　書きましょう

① みなみ（　　　）　② みなみぐち（　　　）

③ とうなんアジア（　　アジア）　④ なんごく（　　ごく）

⑤ きた（　　　）　⑥ きたぐち（　　　）

⑦ ほくせい（　　　）　⑧ とうほくちほう（　　ちほう）

◆ とくべつな　ことば

東西南北：とうざいなんぼく

13章(しょう) ふくしゅう

【1】かん字(じ)を 読(よ)みましょう。

1. 北かいどうは 魚(さかな)や 貝(かい)が おいしいです。
2. 南アフリカで ワールドカップが ありました。
3. 町の おまつりは にぎやかです。
4. 東きょうで ひとりぐらしを はじめました。
5. 電車に のって うみへ 行(い)きました。
6. あたらしい 車が ほしいです。
7. うちの ちかくに ふるい お寺が あります。
8. 下町には むかしの たてものが のこっています。
9. じてん車で 友(とも)だちの うちへ 行(い)きました。
10. わたしの うちは えきの 北西に あります。

1	かいどう
2	アフリカ
3	
4	きょう
5	
6	
7	お
8	
9	じてん
10	

【2】かん字(じ)を 書(か)きましょう。

1. ほうりゅうじへ 行(い)って おみくじを ひきました。
2. びょういんは にしぐちから あるいて 3ぷんです。
3. しゃないで 食(た)べたり 飲(の)んだりしてはいけません。
4. おなじ ちょうないに 友(とも)だちが たくさん います。
5. ここに くるまは 入(はい)ることが できません。
6. 先(せん)しゅう しごとで とうなんアジアへ 行(い)きました。
7. えきに ついてから でんわしてください。
8. 学校(がっこう)まで でんしゃで 30ぷんです。
9. つめたい きたからの かぜが ふいています。
10. パイナップルは なんごくの くだものです。

1	ほうりゅう
2	
3	
4	
5	
6	アジア
7	
8	
9	
10	ごく

13章　クイズ

【1】これは　なんですか。（　　　）に　かん字を　書いてください。
また　1～6は　どれですか。A、B、Cを　書いてください。

A（　　　　　）　B（じどう　　　）　C（じてん　　　）

れい. 一ばん　大きいです。（　A　）

1. 二つの　タイヤで　うごきます。（　　　）
2. 二人で　のってはいけません。（　　　）
3. 二十人　のることが　できます。（　　　）
4. ガソリンを　つかいます。（　　　）
5. おさけを　飲んでも　のることができます。（　　　）
6. 子どもも　うんてんすることが　できます。（　　　）

【2】かん字の　けいさんです。　かん字を　書きましょう。

れい. 田 ＋ 丁 ＝ 町

1. 土 ＋ 寸 ＝ □

2. 二 ＋ 日 ＋ ｜ ＝ □

3. 酉 － 一 ＝ □

4. 申 ＋ 一 ＋ 八 ＝ □

5. 十 ＋ 冂 ＋（羊 － 一）＝ □

【3】かん字(じ)を　書(か)きましょう。

さくぶん

1A ジュリア

せんげつの　やすみに　ともだちと　かまくらへ　いきました。
①（　　　）②（　　み）③（　　だち）④（　　きました）

かまくらには　ふるい　おてらが　たくさん　あります。
⑤（お　　　）

とうきょうから　でんしゃで　1じかんでした。
⑥（　　きょう）⑦（　　　）

かまくらえきで　じてんしゃを　かりて　いろいろな　ばしょへ　いきました。
⑧（じてん　　）

おひるごはんは　ゆうめいな　そばやで　そばを　たべました。
⑨（ゆう　　な）⑩（　　べました）

ほんで　しらべて　まえの　ひに　でんわで　よやくしました。
⑪（　　）⑫（　　）⑬（　　　）

とても　おいしかったです。

ごはんを　たべて　うみへ　いきました。　きれいな　かいを　ひろいました。
⑭（　　べて）⑮（　　）

おみやげも　かって　かえりました。とても　たのしい　いちにちでした。
⑯（　　って）⑰（　　りました）⑱（　　　）

14章（しょう） 時間（じかん）

じかんの　かん字（じ）です。えを　ヒントに　べんきょうしましょう。

These Kanji are related to time.
Let's study by getting hints from pictures.

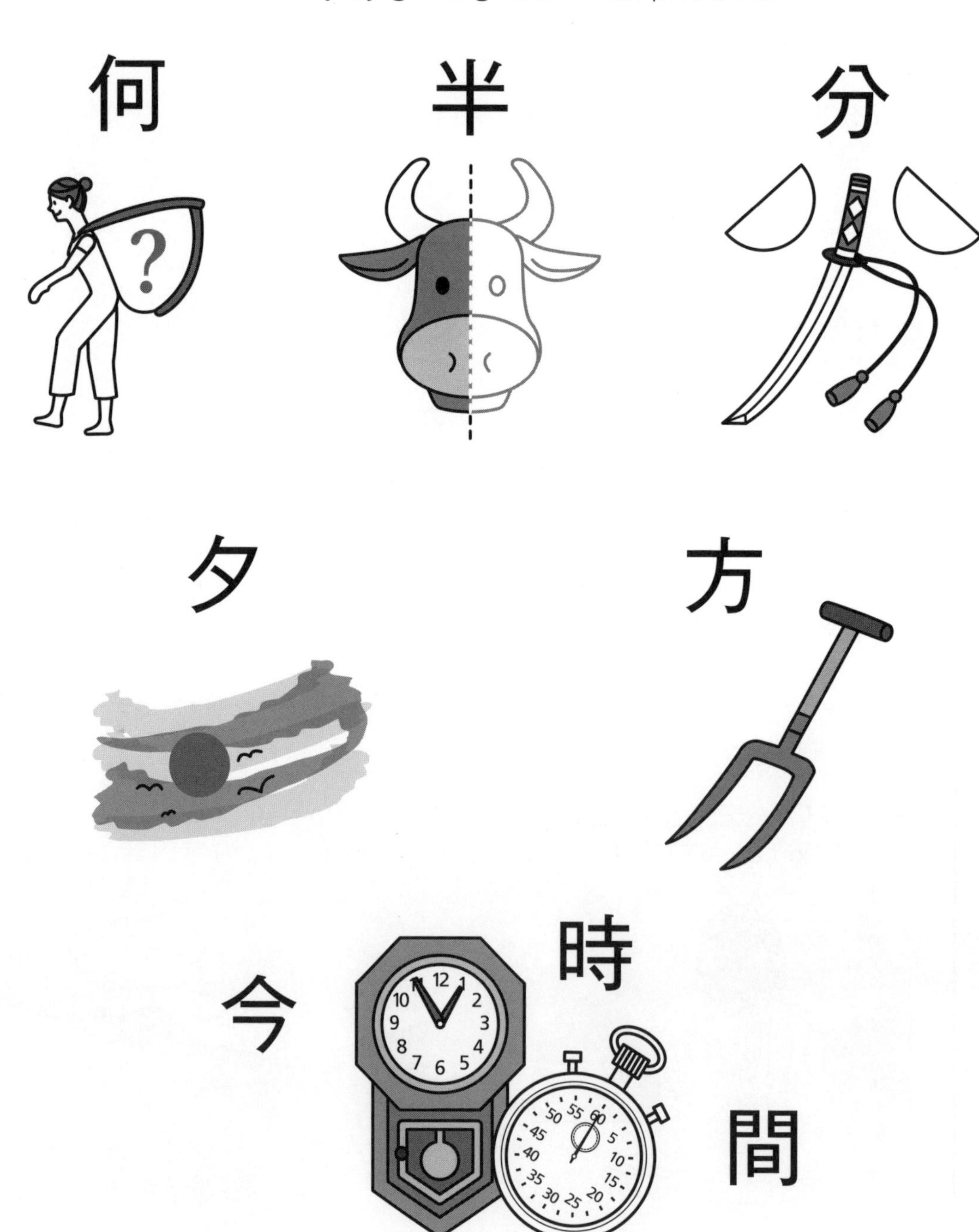

時　とき ジ 10かく	時	時				
	日	日	日	時	時	時

間　あいだ ま カン 12かく ＊	間	間				
	門	門	門	間	間	間

◆ かん字を　読みましょう

① まい日　9時から　12時まで　べんきょうします。
（まい　　）（く　　）（じゅうに　　）

②「時は　金なり」という　ゆう名な　ことわざが　あります。
（　　）（　　）（ゆう　　な）

③ しごとが　いそがしいですから　ねる時間が　ありません。
（　　）

④ ぎん行は　スーパーと　コンビニの　間に　あります。
（ぎん　　）（　　）

⑤ ひる間は　だれも　うちに　いません。
（ひる　　）

◆ かん字を　書きましょう

① 3じ　（3　　）
② 12じ　（12　　）
③ じかん　（　　）
④ あいだ　（　　）
⑤ ひるま　（ひる　　）
⑥ なかま　（なか　　）
⑦ 1しゅうかん　（1しゅう　　）
⑧ きかん　（き　　）

◆ とくべつな　ことば

人間：にんげん

半　ハン 5かく　＊	半　半	1 丶　2 丷　3 䒑　4 丷+二　5 半
分　わ-ける フン ブン (-プン) 4かく　＊	分　分	1 丿　2 八　3 分　4 分

◆ かん字（じ）を　読（よ）みましょう

① かいしゃは　<u>5時半</u>に　おわります。
（ご　　　）

② <u>半年まえ</u>に　<u>日本</u>へ　<u>来ました</u>。
（　　　まえ）（　　　）（　ました）

③ もえるゴミと　もえないゴミを　<u>分けます</u>。
（　　けます）

④ チョコレートを　<u>半分</u>　おとうとに　あげました。
（　　　）

⑤ ケーキを　<u>四分の一</u>　<u>食べました</u>。
（　　の　　）（　べました）

◆ かん字（じ）を　書（か）きましょう

① はんとし　（　　　　）　② 4じはん　（4　　　　）

③ はんぶん　（　　　　）　④ 5ふん　（5　　　　）

⑤ わける　（　　ける）　⑥ 3ぷん　（3　　　　）

⑦ 6ぷん　（6　　　　）　⑧ にぶんのいち（　　の　　）

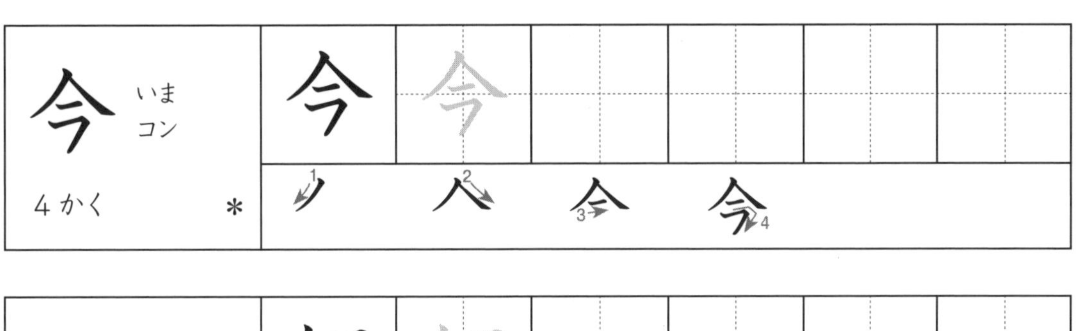

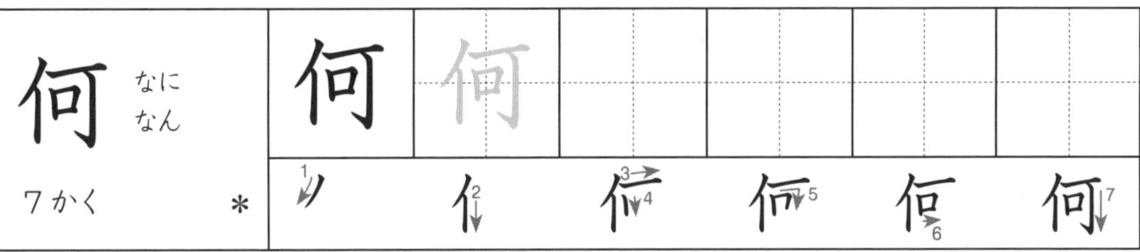

◆ かん字を　読みましょう

① すみません。田中さんは　今　どこに　いますか。
（　　　　さん）（　　　）

② 今月は　雨の日が　おおいですね。
（　　　　）（　　の　　）

③ これは　何ですか。
（　　　）

④ すみません。今　何時ですか。
（　　　）（　　　　）

⑤ あついですね。何か　飲みませんか。
（　　か）（　　みませんか）

◆ かん字を　書きましょう

① いま（　　　　）　② こんばん（　　ばん　）

③ こんげつ（　　　　）　④ こんしゅう（　　しゅう　）

⑤ なに（　　　　）　⑥ なんじ（　　　　）

⑦ なんようび（　　よう　　）　⑧ なんがつ（　　　　）

◆ とくべつな　ことば

今日：きょう　今年：ことし

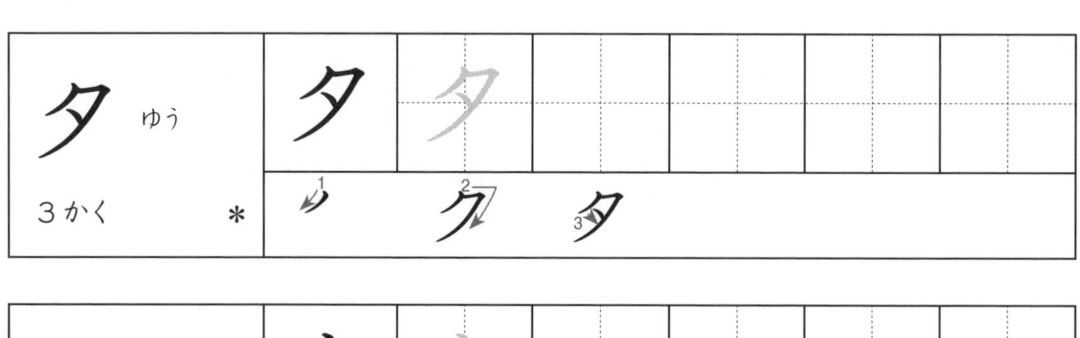

方　かた　(-がた)　ホウ

4かく

方　方

◆ かん字(じ)を　読(よ)みましょう

① 夕日が　とても きれいですね。
　(　　　)

② 夕方から　ずっと　雨が　ふっています。
　(　　　　)　(　　　)

③ いつも　うちで　夕食を　食べます。
　(　　　　)(　　べます)

④ このかん字の　読み方が　わかりますか。
　(かん　　)(　み　　)

⑤ うちで　日本語(ご)を　べんきょうしたいです。どんな　方ほうが　いいですか。
　(　　　ご)　(　　ほう)

◆ かん字(じ)を　書(か)きましょう

① ゆうしょく　(　　　　)　② ゆうがた　(　　　　)

③ とうほくちほう　(　　ち　　)　④ ゆうひ　(　　　　)

⑤ よみかた　(　　み　　)　⑥ かきかた　(　　き　　)

⑦ ほうほう　(　　ほう)　⑧ ほうこう　(　　こう)

◆ とくべつな　ことば

七夕：たなばた

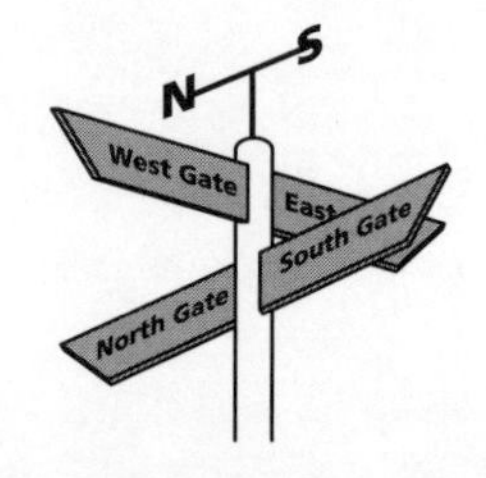

14章（しょう）　ふくしゅう

【1】かん字（じ）を　読（よ）みましょう。

1. ながい間　かぞくに　あうことが　できませんでした。
2. きのうの　よる　何を　食（た）べましたか。
3. 9時半に　ともだちに　あう　やくそくが　あります。
4. 田中（たなか）さんは　今　出（で）かけています。
5. ケーキを　八分の一を　さらに　とりました。
6. つぎの　えいがは　夕方５時（じ）からです。
7. 「時は　金（かね）なり」という　ことわざを　しっていますか。
8. 今日　よていが　ありますか。
9. ひる間は　アルバイトを　しています。
10. 友（とも）だちを　30分ぐらい　まっています。

1	
2	
3	く
4	
5	の
6	
7	
8	
9	ひる
10	さんじっ

【2】かん字（じ）を　書（か）きましょう。

1. こんげつ　大学（だいがく）の　入学（にゅうがく）しけんが　あります。
2. はんとしまえから　えいごを　べんきょうしています。
3. すみません。今（いま）　なんじですか。
4. 1しゅうかん　休（やす）みを　とります。
5. こんばん　いっしょに　飲（の）みに　行（い）きませんか。
6. 子（こ）どもと　あそぶじかんを　大（たい）せつに　しています。
7. 友（とも）だちに　はんぶん　おかしを　あげました。
8. ぎん行（こう）は　花（はな）や　本（ほん）やの　あいだに　あります。
9. パーティーで　りょうりを　わけます。
10. おなかが　すきましたから　なにか　食（た）べたいです。

1	
2	まえ
3	
4	1しゅう
5	ばん
6	
7	
8	
9	けます
10	か

14章　クイズ

【1】パンフレットと（　　）の 読み方を 見て □に かん字を 書きましょう。

ふじ山 りょこう

5月30日（土） 9：30 しんじゅくえき

大人：7,500円、子ども：3,000円

ARCツアー：03-1234-5678

あなた：　もしもし、田中さん（いま）①□ 話しても いいですか。

田中さん：はい、（なん）②□ ですか。

あなた：　今月の 30日に いっしょに ふじ山へ 行きませんか。

田中さん：ふじ山ですか。 いいですね。30日は（なん）③□ よう日ですか。

あなた：　④□ よう日です。しんじゅくえきから バスで ふじ山へ 行きます。

田中さん：わかりました。（なんじ）⑤□□ の バスですか。

あなた：　9 ⑥□□ です。（おとな）⑦□□ は 一人 7,500円ですよ。

田中さん：わかりました。たのしみですね。

あなた：　そうですね。（きょう）⑧□□ ARCツアーに ⑨□□ して よやくします。

田中さん：ありがとうございます。

【2】A □ と B □ を　あわせて　かん字(じ)を　つくりましょう。

A

日　亻　入　門　~~言~~　八

B

~~売~~　ラ　可　刀　寺　日

れい 読 □ □ □ □ □

【3】①−⑥の　かん字(じ)の　読(よ)み方(かた)を　□に　書(か)きましょう。
＿＿＿＿に　あなたの　こたえも　書(か)きましょう。

友(とも)だち：いつも　①何時に　おきますか。

あなた：＿＿＿＿＿＿に　おきます。

友(とも)だち：しゅみは　②何ですか。

あなた：＿＿＿＿＿＿＿＿＿＿＿＿＿＿＿＿＿＿

友(とも)だち：③今日の　ごご　④時間が　ありますか。

あなた：＿＿＿＿＿＿＿＿＿＿＿＿＿＿＿＿＿＿

友(とも)だち：⑤今　いちばん　⑥何が　ほしいですか。

あなた：＿＿＿＿＿＿＿＿＿＿＿＿＿＿＿＿＿＿

①	②	③
④	⑤	⑥

15章 けいようし

けいようしの かん字(じ)です。
These Kanji are adjectives.

新　古

長

安

元　気

多

少

新 あたら-しい シン 13かく ＊	新	新				
	1 2 3 4 5	6 7	8 9	10	11	12 13

古 ふる-い コ 5かく ＊	古	古				
	1	2	3	4	5	

◆ かん字(じ)を　読(よ)みましょう

① 新年　おめでとうございます。
（　　　　）

② けさ　新聞を　読みましたか。
（　　　　）（　　みましたか）

③ 新しい　車　が ほしいです。
（　　　しい）（　　　　）

④ 先月　中古車を　買いました。
（　　　　）（　　　　）（　　いました）

⑤ きょうとは　古い　町です。
（　　い）（　　）

◆ かん字(じ)を　書(か)きましょう

① あたらしい（　　　しい）　② しんねん（　　　　）

③ しんぶん（　　　　）　④ しんしゃ（　　　　）

⑤ しんにゅうしゃいん（　　　しゃいん）　⑥ ふるい（　　　い）

⑦ ふるほん（　　　　）　⑧ ちゅうこしゃ（　　　　）

長 ながｰい チョウ 8かく	長	長				

安 やすｰい アン 6かく	安	安				

◆ かん字(じ)を　読(よ)みましょう

① 山田さんは　かみが　長い　人です。
（　　　さん）（　　い）（　　）

② わたしの　長男は 五さい、長女は　三さいです。
（　　　）（　　　）

③ わたしの　父は　小学校の　校長です。
（　　）（　　　　）（　　　）

④ ちょっと　高いですね。もっと　安い　シャツは　ありませんか。
（　　い）（　　い）

⑤ ひさしぶりに　むすこと　電話で　話しました。とても　安しんしました。
（　　　）（　　しました）（　　しん）

◆ かん字(じ)を　書(か)きましょう

① ながい　（　　　い）　② ながねん　（　　　　）

③ しゃちょう　（しゃ　　　）　④ ちょうじょ　（　　　　）

⑤ こうちょう　（　　　　）　⑥ やすい　（　　　い）

⑦ あんしん　（　　　しん）　⑧ あんぜん　（　　　ぜん）

多　おお-い　タ 6かく	多	多				

少　すく-ない　すこ-し　ショウ 4かく	少	少				

◆ かん字（じ）を　読（よ）みましょう

① 今月は　ざんぎょうが　多いです。
（　　　　）　（　　い）

② わたしは　ベトナムごが　多少　わかります。
（　　　　）

③ これは　多すうの　人の　い見です。
（　すう）（　　　）（い　　　）

④ A町の　人口は　きょ年より　少ないです。
（　　　）（　　　　）（きょ　　　）（　　　ない）

⑤ 少し　かん字を　読むことが　できます。
（　　し）（かん　　）（　　む）

◆ かん字（じ）を　書（か）きましょう

① おおい　（　　　　い）　② たすう　（　　　　すう）

③ たしょう　（　　　　）　④ すくない　（　　　　ない）

⑤ すこし　（　　　　し）　⑥ しょうねん　（　　　　）

⑦ しょうじょ　（　　　　）　⑧ しょうすう　（　　　　すう）

元 もと ゲン ガン 4かく	元	元				
	1 一	2 二	3 テ	4 元		

気 キ 6かく *	気	気				
	1 ノ	2 ㇒	3 ⺈	4 気	5 気	6 気

◆ かん字を　読みましょう

① ひさしぶりですね。お元気ですか。
（　　　）

② 一月一日は　元日です。
（　　　　　）（　　　　）

③ 大田さんは　元　小学校の　先生です。
（　　　さん）（　　）（　　　　　）（　　　　）

④ 今日は　てん気が　いいですね。
（　　　）（てん　　）

⑤ 気分は　いかがですか。
（　　　）

◆ かん字を　書きましょう

① がんじつ　（　　　　　）　② げんき　（　　　　　）

③ てんき　（てん　　　　）　④ きもち　（　　　　もち）

⑤ きぶん　（　　　　　）　⑥ びょうき　（びょう　　　）

⑦ でんき　（　　　　　）

15章　ふくしゅう

【1】かん字を　読みましょう。

1. わたしの　父は　高校の　校長です。
2. かわいい　少女が　ベンチに　すわっています。
3. くにの　母が　安しんしますから　よく　電話をします。
4. 古い　しゃしんを　見ました。
5. この町は　マンションが　多いです。
6. 中古車を　三十万円で　買いました。
7. もう少し　ゆっくり　話してください。
8. 元日に　かぞくと　いっしょに　はつもうでに　行きます。
9. 四月に　新入しゃいんが　二人　入りました。
10. 今日は　あさから　気分が　よくないです。

1	
2	
3	しん
4	い
5	い
6	
7	し
8	
9	
10	

【2】かん字を　書きましょう。

1. しんねん　おめでとうございます。
2. 山下さんは　もと　けいさつかんです。
3. あんぜんに　気をつけて　しごとをします。
4. ボーナスで　あたらしい　かばんを　買いました。
5. わたしは　えいごが　たしょう　わかります。
6. いつも　やすい　スーパーで　買い物を　します。
7. この町は　10年まえより　人が　すくなくなりました。
8. そ母は　八十五さいですが　とても　げんきです。
9. わたしは　ながねん　ロンドンに　すんでいました。
10. あさの　ジョギングは　きもちが　いいです。

1	
2	
3	ぜん
4	しい
5	
6	い
7	なく
8	
9	
10	もち

15章(しょう)　クイズ

【1】ヒントを　読(よ)んで、□に　かん字(じ)を　書(か)きましょう。

1. あのレストランは　おきゃくさんが　□　ないですね。

　　ヒント：あまり　人(ひと)が　いません　。

2. しぶやは　わかい　人(ひと)が　□　い　まちです。

　　ヒント：たくさん　人(ひと)が　います。

3. わたしの　車(くるま)は　□　しいです。

　　ヒント：３日(か)まえに　買(か)いました。

4. わたしの　とけいは　とても　□　いです。

　　ヒント：10年(ねん)まえに　友(とも)だちに　もらいました。

5. このりんごは　とても　□　かったです。

　　ヒント：スーパーで 200 円(えん)でした。

6. このゆびわは　とても　□　かったです。

　　ヒント：ボーナスで　買(か)いました。

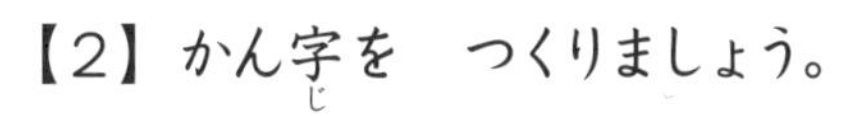

【2】かん字（じ）を　つくりましょう。

れい）日 ＋ 月 → 明

1. 宀 ＋ 女 → □

2. 夕 ＋ 夕 → □

3. 小 ＋ ノ → □

4. 立 ＋ 木 ＋ 斤 → □

5. 二 ＋ 儿 → □

【3】トムさんが　子（こ）どもについて　話（はな）しています。＿＿＿＿の　かん字（じ）の
読（よ）み方（かた）を　書（か）きましょう。

わたしの　<u>子ども</u>の　<u>名まえ</u>は　マリーです。<u>今年</u>　5さいです。
①（　　ども）②（　　まえ）　③（　　　）

かみが　<u>長くて</u>　かわいい　<u>女の子</u>です。　<u>日本人</u>の　<u>子ども</u>より
④（　　くて）　⑤（　　　の　　）⑥（　　　　）⑦（　　ども）

<u>少し</u>　せが　<u>高い</u>です。いつも　<u>元気</u>です。
⑧（　　し）⑨（　　い）　⑩（　　　）

きのう　はじめて　<u>日本人</u>の　<u>友だち</u>が　うちへ　あそびに　<u>来ました</u>。
⑪（　　　　）⑫（　　だち）　⑬（　　ました）

マリーは　友だちと　日本語（ご）で　<u>話して</u>いました。
⑭（　　して）

わたしと　つまは　少し　<u>安しん</u>しました。
⑮（　　しん）

11章(しょう)～15章(しょう)　アチーブメントテスト

【1】かん字(じ)を　読(よ)みましょう。

1. 夕方から　かぜが　つよく　なりました。
（　　　　）

2. せんしゅう　おなじ　クラスの　学生(がくせい)と　飲みに　行(い)きました。
（　　み）

3. 時間が　ありませんから　タクシーで　行(い)きます。
（　　　　）

4. そらが　暗いですから　たぶん　雨(あめ)が　ふると　おもいます。
（　　い）

5. もう　12時(じ)ですね。何か　食(た)べに　行(い)きませんか。
（　　か）

6. 畑を　かりて　やさいを　つくる人(ひと)が　多く　なりました。
（　　く）

7. 木田(きだ)さんは　とても　明るい　人(ひと)です。
（　　るい）

8. 車の　うんてんが　できますか。
（　　　　）

9. デパートよりも　うちの　ちかくの　スーパーのほうが　安いです。
（　　い）

10. すみません。もう少し　ゆっくり　言(い)ってください。
（　　し）

【2】かん字(じ)を　書(か)きましょう。

1. いんしょくてん	（　　　てん）	2. でんわ	（　　　　）
3. とうきょう	（　　　きょう）	4. かいもの	（　　い　　）
5. しゃちょう	（しゃ　　　）	6. みなみぐち	（　　　　）
7. にしにほん	（　　　　）	8. しんりん	（　　　　）
9. ながいあいだ	（　　い　　）	10. でんごん	（でん　　　）

【3】かん字(じ)を　書(か)いたり　読(よ)んだりしましょう。

わたしの　しゅみは　①どくしょと　さんぽです。
まい日(にち)　②でんしゃで　学校(がっこう)へ　行(い)きます。わたしの　③町から　学校(がっこう)まで
④1じかんはんぐらい　かかりますから　いつも　でんしゃの　中(なか)で　本(ほん)を
⑤よみます。エッセイや　おもしろい　⑥話が　好(す)きです。

⑦てん気が　いい日(ひ)は　出(で)かけます。わたしの　うちから　⑧北に　⑨10ぷん
ぐらい　あるくと　⑩ふるい　⑪寺が　あります。寺の　となりに　すぎの
⑫林が　あります。ときどき　林を　さんぽします。
気もちが　よくて　⑬げんきに　なります。
寺の　⑭ひがしに　⑮やさい畑が　あります。　⑯畑に　いる　おばあさんと
さんぽのとき　よく　⑰話します。ときどき　おばあさんが　つくった　やさいを
いっしょに　⑱たべます。
おばあさんが「⑲今　トマトを　つくっていますから　今(こん)ど　あげますよ。」と
⑳言いました。とても　たのしみです。

①	②	③	④ 1
⑤ みます	⑥	⑦ てん	⑧
⑨ 10	⑩ い	⑪	⑫
⑬ に	⑭	⑮ やさい	⑯
⑰ します	⑱ べます	⑲	⑳ いました

ノート

つぎの　えから　どんな　かんじが　できましたか。

え		かんじ	つかいかた

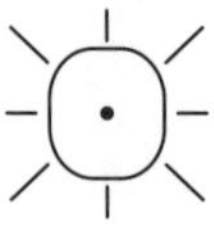	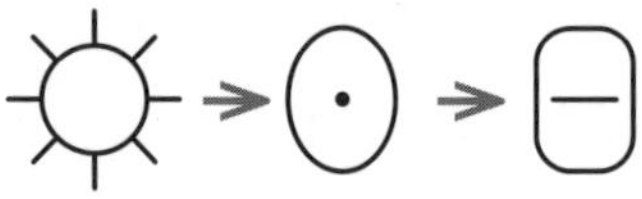		
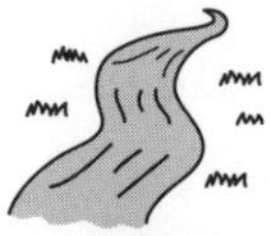	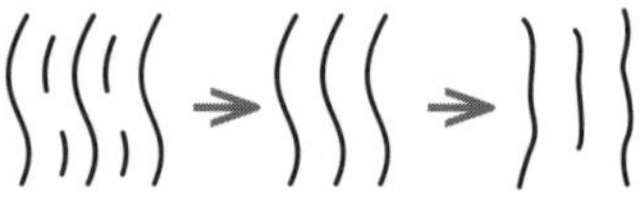		
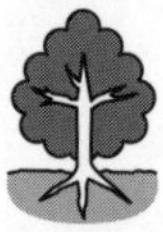	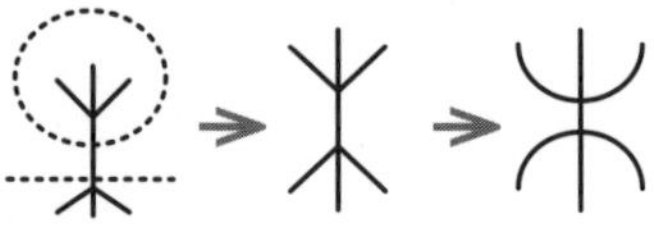		
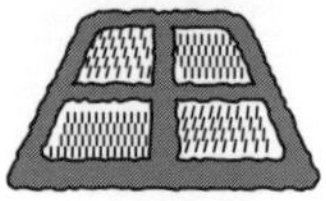	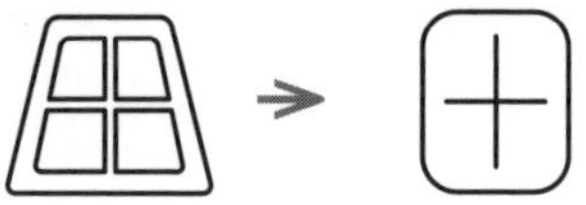		
	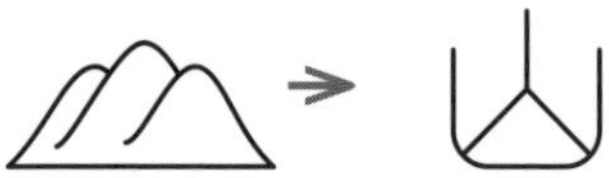		
	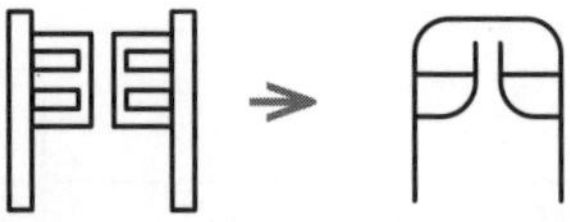		

ノート

え		かんじ	つかいかた

ノート

つぎの　えから　どんな　かんじが　できましたか。

え		かんじ	つかいかた

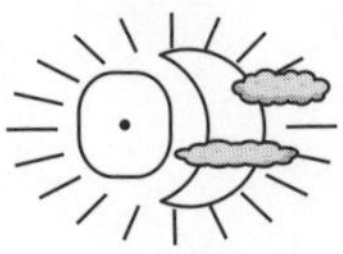			

ノート

え		かんじ	つかいかた

ノート

つぎの　えから　どんな　かんじが　できましたか。

え		かんじ	つかいかた

ノート

え		かんじ	つかいかた

	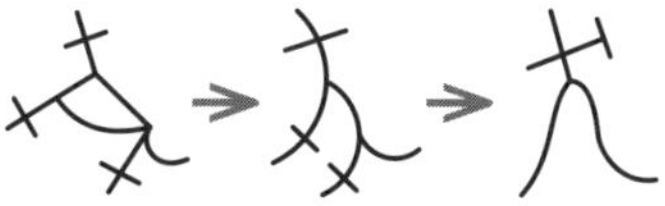		

そのほかの　よみかた

章(しょう)	ページ	かん字(じ)	読(よ)み
1	11	一	ひと
1	11	一	イツ
1	11	二	ふた
1	12	三	み
1	12	三	み-つ
1	12	四	よ-つ
1	13	五	いつ
1	13	六	む
1	13	六	む-つ
1	13	六	むい
1	14	七	なな
1	14	七	なの
1	14	八	や
1	14	八	や-つ
1	14	八	よう
1	15	九	ここの
1	15	十	と
1	16	千	ち
1	17	万	バン
1	17	円	まる-い
2	23	火	ほ
2	24	木	こ
2	25	金	かな
2	25	金	コン
2	25	土	ト
3	31	口	ク
3	32	目	ま
3	32	目	ボク
3	33	手	た
3	33	足	た-りる
3	33	足	た-る
3	34	力	リキ

章(しょう)	ページ	かん字(じ)	読(よ)み
4	39	川	セン
4	40	石	シャク
4	40	石	コク
4	42	雨	あま
5	47	上	うわ
5	47	上	かみ
5	47	上	あ-げる
5	47	上	のぼ-せる
5	47	上	のぼ-す
5	47	上	ショウ
5	47	下	しも
5	47	下	もと
5	47	下	さ-げる
5	47	下	くだ-す
5	47	下	くだ-さる
5	47	下	お-ろす
5	47	下	お-りる
5	47	下	カ
5	48	右	ユウ
5	49	外	ほか
5	49	外	はず-す
5	49	外	はず-れる
5	49	外	ゲ
5	49	内	ダイ
6	58	生	い-かす
6	58	生	い-ける
6	58	生	う-む
6	58	生	お-う
6	58	生	は-える
6	58	生	は-やす
6	58	生	き
6	58	生	なま

そのほかの　よみかた

章	ページ	かん字	読み
6	59	字	あざ
6	60	体	テイ
7	65	大	おお
7	65	大	おお - いに
7	65	小	お
7	66	高	たか
7	66	高	たか - まる
7	66	高	たか - める
7	67	入	い - る
7	67	出	スイ
7	68	門	かど
8	74	子	ス
8	74	男	ナン
8	75	女	め
8	75	女	ニョ
8	75	女	ニョウ
9	81	立	リュウ
9	81	立	た - てる
9	81	休	やす - まる
9	81	休	やす - める
9	82	見	み - える
9	82	聞	き - こえる
9	82	聞	モン
9	83	行	ゆ - く
9	83	行	アン
9	83	来	きた - る
9	83	来	きた - す
9	84	帰	かえ - す
10	89	米	ベイ
10	89	茶	サ
10	92	好	この - む
10	92	好	す - く

章	ページ	かん字	読み
11	101	音	イン
11	102	明	あ - かり
11	102	明	あか - るむ
11	102	明	あか - らむ
11	102	明	あきらか
11	102	明	あ - く
11	102	明	あ - くる
11	102	明	あ - かす
11	102	明	ミョウ
12	108	読	トク
12	108	読	トウ
12	109	食	く - う
12	109	食	く - らう
12	109	食	ジキ
13	117	西	サイ
13	118	南	ナ
14	123	間	ケン
14	124	半	なか - ば
14	124	分	わ - かれる
14	124	分	わ - かる
14	124	分	わ - かつ
14	124	分	ブ
14	125	今	キン
14	125	何	カ
14	126	夕	セキ
15	131	新	あら - た
15	131	新	にい
15	131	古	ふる - す
15	134	気	ケ

索引

さくいん

解答
かいとう

●1章

p11　①ひとつ　ふたつ　②いちまい　③いちがつ　④いちにち　いっぽん　⑤にだい
①一つ　②一まい　③一にち　④一こ　⑤一ぽん　⑥二つ　⑦二かい　⑧二がつ
p12　①みっつ　よっつ　②いちまんえんさつ　さんまい　③いちにち　よじかん　④よんほん　⑤しがつ
①三つ　②三まい　③三ぼん　④三さい　⑤四つ　⑥四ほん　⑦四じかん　⑧四がつ
p13　①いつつ　むっつ　②ごにん　③ごがつ　④ろくがつ　⑤ろっぽん
①五つ　②五にん　③五がつ　④五かい　⑤六つ　⑥六がつ　⑦六かい　⑧六ぽん
p14　①ななつ　②しちがつ　③しちごさん　④はちがつ　⑤やっつ　はっぽん
①七つ　②七かい　③七がつ　④七五三　⑤八つ　⑥八がつ　⑦八ぽん　⑧八まい
p15　①ここのつ　②くじ　じゅうじ　③きゅうにん　ひとつ　④くがつ　とおか　⑤にじっぷん
①九つ　②九か　③九にん　④九じ　⑤十か　⑥十にん　⑦十じ　⑧三十ぷん
p16　①ひゃくにん　②いちねん　さんびゃくろくじゅうごにち　③せんえんさつ
④きゅうせんはっぴゃくえん　⑤さんぜんえん
①百にん　②百こ　③三百にん　④六百えん　⑤千にん　⑥八千えん　⑦三百六十五にち
p17　①いちまんきゅうせんにん　②ななひゃくまんにん　③いちまんえんさつ　④さんびゃくまんえん
⑤ごひゃくドル　えん
①二万にん　②五百万にん　③百円　④千円　⑤一万円　⑥十万円　⑦百万円　⑧一千万円
p18　ふくしゅう
【1】1. みっつ　2. いつつ　3. いっぽん　4. にまい　5. くじ　6. よんじっぷん　7. ななかい
8. さんぜんえん　9. よんひゃくえん　10. さんびゃくにん
【2】1. 四じかん　2. 七五三　3. 二かい　4. 六つ　5. 十万円　6. 九千円　7. 十一にん
8. 八ぽん　9. 六百円　10. 一にち
p20　クイズ
【1】1. 二＜七＜九　2. 五＜六＜八　3. 百＜千＜万
【2】1. 六　ろっぽん　2. 四　よんだい　3. 五　ごまい　4. 九　ここのつ　5. 八　はっさつ
【3】1. 六百八十　2. 四百七十　3. 三万百五　4. 五千二百万　5. 二千二百八十
【4】①二　十四　九　②六　十七　十八　③五〇三

●2章

p23　①つき　②げつようび　③こんげつ　④くがつ　⑤ひ
①月　②月ようび　③こん月　④1か月　⑤11月　⑥火　⑦たばこの火　⑧火ようび
p24　①みず　②すいようび　③さくらのき　④たいぼく　⑤もくようび
①水　②水ようび　③水えい　④こう水　⑤りんごの木　⑥たい木　⑦木ようび
p25　①おかね　②きん　③きんようび　④つち　⑤どようび
①お金　②金　③金ようび　④げん金　⑤りょう金　⑥土　⑦土ようび
p26　①にちようび　ひ　②せいねんがっぴ　③しちがつなのか　④まいとし　⑤にねんまえ
①ちちの日　②たんじょう日　③せい年月日　④六日　⑤きゅう日　⑥年　⑦2013年　⑧きょ年
p27　ふくしゅう
【1】1. さんねん　2. みず　3. せいねんがっぴ　4. いっかげつ　5. らいげつ　6. おかね
7. きゅうじつ　8. き　9. かようび　10. ごがついつか
【2】1. 月　2. げん金　3. さくらの木　4. きょ年　5. 火　6. 年　7. 水よう日　8. 土よう日
9. 十二月　10. 金よう日

p28　クイズ
【1】1. 六　ろくがつ　2. 十一　じゅういちがつ　3. 十二　じゅうにがつ
【2】1. 三月三日　さんがつ みっか　2. 五月五日　ごがつ いつか　3. 七月七日　しちがつ なのか
【3】①月　②火　③水　④木　⑤金　⑥土　⑦九月　くがつ　⑧二十日　はつか　火　かようび
⑨十六日　じゅうろくにち　金　きんようび　⑩二十四日　にじゅうよっか　土　どようび

●3章
p31　①ひと　②にほんじん　③なんにん　④くち　⑤じんこう　なんにん
①人　②アメリカ人　③三人　④なん人　⑤おおきい口　⑥口べに　⑦かいさつ口　⑧人口
p32　①め　②いくつめ　③もくてき　④みみ　みず　⑤じびか　みみ　みっつ
①目　②目ざましどけい　③目ぐすり　④一つ目　⑤目てき　⑥耳　⑦耳びか
p33　①にほんじん　て　②てがみ　きって　③あし　④さんじっそく　⑤たして
①手がみ　②きっ手　③あく手　④うんてん手　⑤手足　⑥足す　⑦一足　⑧三足
p34　①ちから　②かりょく　③きょうりょく　④しりょく
①力　②火力　③きょう力　④し力　⑤がく力テスト
p35　ふくしゅう
【1】1. アメリカじん　2. ひとり　3. あし　4. かいさつぐち　5. がくりょくテスト　6. めざましどけい
7. じびか　8. てがみ　9. きって　10. じんこう
【2】1. 力　2. 人　3. 二十人　4. 二つ目　5. 目ぐすり　6. 口　7. うんてん手　8. 耳　9. 二足　10. 足して
p36　クイズ
【1】1. 口　2. 足　3. 手　4. 目　5. 耳　6. 力　【2】1. 足　2. 目　3. 耳　4. 手　5. 手　6. 足　7. 耳　8. 手
【3】1. め　2. あし　3. て　4. みみ　5. ひと　6. がくりょくテスト
【4】1. 人　2. 足　3. 目　4. 耳・目　5. 手　6. 口　7. 力

●4章
p39　①やま　②にちようび　ふじさん　③まいにち　やまのてせん　④やま　かわ
⑤ナイルがわ　いちばん
①にほんの山　②ふじ山　③火山　④川　⑤アマゾン川　⑥山川さん　⑦川口さん
p40　①たんぼ　②すいでん　③かわ　こいし　④ほうせき　⑤いし
①田んぼ　②水田　③山田さん　④石　⑤こ石　⑥ほう石　⑦石田さん
p41　①かびん　はな　②はなたば　③どようび　はなび　④まいにち　はな　みず　⑤たけ
①花　②花びん　③花み　④花火　⑤花たば　⑥竹　⑦竹のこ　⑧竹りん
p42　①ろくがつ　あめ　②おおあめ　③あめ　④にちようび　うてん
①雨　②おお雨　③雨てん
p43　ふくしゅう
【1】1. いし　2. やまのてせん　3. すいでん　4. かわぐちせんせい　5. かわ　6. やま　7. ほうせき
8. かびん　9. たけのこ　10. あめ
【2】1. ふじ山　2. 山田さん　3. 田んぼ　4. 花　5. こ石　6. 花たば　7. 花火　8. 川　9. 竹りん
10. おお雨
p44　クイズ
【1】1. 山　2. 竹　3. 川　4. 石　5. 雨　【2】1. 山　2. 川　3. 手　4. 石　5. 田　6. 足　7. 竹　8. 雨
【3】1. 山田　2. 川田　3. 石田　4. 石川　5. 竹山　6. 山川
【4】①にちようび　②やま　③土よう日　④あめ　⑤花　⑥かわ　⑦水　⑧足

●5章
p47　①うえ　した　②よんかい　あがりました　③すいじょう　④さがります　ごど　じゅうど

⑤くだって　した
①上　②上がる　③年上　④上下　⑤上りのでんしゃ　⑥下ぎ　⑦下がる　⑧下りのでんしゃ
p48　①みぎ　ひだり　②みぎきき　ひだりきき　③ひだりがわ　ひと　みぎがわ　④みぎ　⑤うせつ
①左　②左あし　③左せつ　④つくえの右　⑤右手　⑥右せつ　⑦右がわ
p49　①そと　②やまぐちせんせい　がいしゅつ　③いちばん　がいこく　④うちがわ　そとがわ
⑤ないか
①外　②外がわ　③外しゅつ　④外こく　⑤内がわ　⑥こう内　⑦こく内　⑧内か
p50　①なか　②すいちゅう　め　③なか　いちまんえん　④かいぎちゅう　⑤いちにちじゅう
①へやの中　②くるまの中　③水中　④しごと中　⑤じゅぎょう中　⑥一日中
p51　ふくしゅう
【1】1. としした　2. あがって　3. うえ　4. くだり　5. すいじょう　6. いちにちじゅう　7. さゆう
8. がいしゅつ　9. うちがわ　10. みぎ
【2】1. 年上　2. 外　3. 下　4. 下がりました　5. 右がわ　6. 左きき　7. 上下　8. こく内　9. 中
10. じゅぎょう中
p52　クイズ
【1】1. 下　2. 中　3. 外　4. 右　5. 内
【2】1. 上　花びん　2. 外　二　3. 上　一　4. 中　一人　5. 中　下　下　一
【3】①上がります　②中　③右　④人　⑤左　⑥人　⑦こう内　⑧外　⑨下　⑩人　⑪一日中

p54　アチーブメントテスト（配点：【1】【2】は各２点、【3】は各３点）
【1】1. ごがつ　いつか　2. ろくにん　3. きゅうかい　4. せんえんさつ　5. げつようび　6. みず
7. みっつめ　8. みみ　9. ナイルがわ　10. そと
【2】1. 八月十日　2. 火よう日　3. さくらの木　4. 手がみ　5. し力　6. ふじ山　7. 田んぼ
8. 竹のこ　9. 左きき　10. こく内
【3】①日よう日　②こいびと　③たんじょうび　④よんかい　⑤ほうせき　⑥百万円　⑦お金
⑧ろっかい　⑨上がりました　⑩くつした　⑪足　⑫こうすい　⑬花たば　⑭十人　⑮いっかい
⑯さんぼん　⑰ 1990 年　⑱雨　⑲ひと　⑳一日中

●６章

p57　①がっこう　②まなんで　③だいがく　しんがく　④にゅうがくしき　⑤こうちょうせんせい
①学ぶ　②学校　③だい学　④にゅう学　⑤けん学　⑥校ちょう　⑦きゅう校　⑧てん校
p58　①がくせい　なんにん　②せんせい　さき　③せんしゅう　④せんじつ
⑤じゅうにがつ　うまれました
①先生　②先月　③先しゅう　④生きる　⑤生かつ　⑥人生　⑦一生　⑧たん生日
p59　①なまえ　②みょうじ　たなか　③ゆうめいな　④じ　⑤かんじ
①名まえ　②名しょ　③ち名　④ゆう名　⑤字　⑥も字　⑦しゅう字　⑧かん字
p60　①いっかげつ　ほん　②いちねん　にほん　③いっぽん　にほん　さんぼん
④やまもとさん　からだ　⑤たいいく　たいいくかん
①本　②日本人　③一本　④三本　⑤五本　⑥体　⑦体力　⑧体じゅう
p61　ふくしゅう
【1】1. まなんで　2. うまれます　3. がくせい　4. みょうじ　5. ほん　6. せんげつ　7. からだ
8. ゆうめいな　9. やまもとさん　10. いっぽん
【2】1. 学校　2. 先生　3. 日本　4. 中学生　5. 字　6. 生きました　7. 三本　8. 名まえ
9. 体いくかん　10. 先
p62　クイズ
【1】①学校　②体いくかん　③学生　④本　⑤かん字　⑥先生

【2】①先月　②お花み　③先生　④十人　⑤学生　⑥三十人　⑦校ちょう先生　⑧日本　⑨日
【3】1. 名まえ　なまえ　2. も字　もじ　3. 体力　たいりょく　4. 日本　にほん　5. 学生　がくせい
6. 先生　せんせい

●7章
p65　①やまかわさん　め　おおきい　②だいすき　③たいせつな　ひと　④ちいさい　⑤しょうがくせい
①大きい　②大学　③大きらい　④大せつ　⑤小さい　⑥小学生　⑦小学校　⑧小ぜに
p66　①いしかわさん　たかい　②こうこうせい　③たかい　④ともだち　⑤やまださん　しんゆう
①高い　②高校　③高校生　④友だち　⑤しん友
p67　①はいって　②いりぐち　でぐち　③にほん　しがつ　にゅうがくしき　④だして
⑤ともだち　でかけました
①入れる　②入る　③入り口　④入学　⑤出る　⑥出す　⑦出せき　⑧外出
p68　①もん　②こうもん　③せんもん　④にゅうもんしょ
①門　②校門　③せい門　④せん門　⑤入門
p69　ふくしゅう
【1】1. にゅうがくしき　2. たいせつ　3. こうこうせい　4. しょうがっこう　5. ちいさい　6. いれて
7. だして　8. しんゆう　9. にゅうもんしょ　10. がいしゅつちゅう
【2】1. 大学　2. 小学生　3. 出口　4. 入って　5. 友だち　6. 大きい　7. 入り口　8. 出て　9. 高い　10. 門
p70　クイズ
【1】①入学しき　②大きい　③出口　④高校生　⑤学校　⑥入って　⑦女の人　⑧名まえ
⑨高校　⑩日本　⑪友だち　⑫大学　⑬入ります　⑭大学いん　⑮入りたい　⑯せん門　⑰本
⑱日本ご　⑲日本ぶんか　⑳学びたい
【2】1. 大　2. 大人　3. 出口　4. 高い　5. 入る

●8章
p73　①にほん　ちちのひ　ろくがつ　さん　にちようび　②そふ　はちじゅうはっさい
③ははのひ　はな　④ぼご　⑤ぼこう
①父　②そ父　③母　④母ご　⑤母校　⑥そ母　⑦父母
p74　①かわ　こども　②おこさん　いっさい　③だんしがくせい　なんにん
④がっこう　おとこのせんせい　よにん　⑤だんせい　みょうじ
①子　②子　③子　④男　⑤男の子　⑥男の人　⑦男子　⑧男
p75　①おんなのひと　②おんなのこ　ひとり　おとこのこ　ふたり　③じょし　みぎ
④にほんじん　かのじょ
①女　②女の子　③女の人　④女子　⑤女せい　⑥男女　⑦かの女　⑧女ゆう
p76　①いぬ　②ともだち　こいぬ　③とり　④まいとし　はくちょう　にほん　⑤がっこう　ことり
①犬　②子犬　③小がた犬　④もうどう犬　⑤鳥　⑥小鳥　⑦はく鳥
p77　ふくしゅう
【1】1. はくちょう　2. もうどうけん　3. こども　4. だんせい　5. かのじょ　6. ちょうなん
7. ふたご　8. おかあさん　9. だんじょ　10. おとうさん
【2】1. 母の日　2. 子犬　3. そ父　4. 女の人　5. 男の子　6. 女子　7. 父　8. 小鳥　9. 母校　10. 男子学生
p78　クイズ
【1】1. 母　2. 子　3. 男　4. 女　5. 子　6. 子　7. 男子　8. 女子　9. 犬　10. 鳥
【2】1. 父　2. 子　3. 女　4. 母　5. 男
【3】①ごにん　②そ父　③父　④はは　⑤犬　⑥ななじゅうろくさい　⑦よんじゅうはっさい　⑧小学校　⑨せんせい　⑩高校　⑪2ねんまえ　⑫まい日　⑬川

●9章
p81 ①おんなのひと たって ②こくりつだいがく がくせい
③いしかわさん どにち やすみ ④やすみませんか ⑤ごがついつか きゅうじつ
①立つ ②こく立大学 ③休む ④休み ⑤なつ休み ⑥休日 ⑦しゅう休二日
p82 ①にほん みますか ②みせて ③しんぶんしゃ けんがく ④いけん ⑤きいて にほんご
①見る ②花見 ③月見 ④見学 ⑤い見 ⑥聞く ⑦しん聞
p83 ①やすみ おおさか いきます ②ぎょうれつ ③あした・あす おこないます
④こない いく ⑤さんがつ らいにち
①行く ②ぎん行 ③りょ行 ④来る ⑤来ます ⑥来ない ⑦来年 ⑧来日
p84 ①かえりますか ②かえって ③かえりました ④がっこう かえり みました ⑤らいねん きこく
①帰る ②帰り ③帰こく ④帰たく
p85 ふくしゅう
【1】1. みます 2. らいしゅう 3. ぎょうれつ 4. こくりつだいがく 5. しんぶん 6. きこく 7. らいにち
8. やすみ 9. こない 10. おこないます
【2】1. 見学 2. 聞きました 3. 来ます 4. 休日 5. 行きました 6. なつ休み 7. りょ行
8. 帰りました 9. 立って 10. 花見
p86 クイズ
【1】1. 聞 き 2. 見 み 3. 来 き 4. 行 い 5. 帰 かえ 6. 休 やす
【2】1. ジェイクさん まいにち かえります 2. マリンさん いきます 3. ジェイクさん みます
4. ヨウさん ききます 5. マリンさん がっこう いきます 【3】1. 帰 2. 聞 3. 立

●10章
p89 ①にほん こめ ②はくまい げんまい ③ひ おちゃ ④こうちゃ にほんちゃ
⑤ちゃいろ ふたつ
①米 ②げん米 ③はく米 ④お茶 ⑤日本茶 ⑥こう茶 ⑦茶いろ
p90 ①うし ②ぎゅうにゅう いれます ③ぎゅうにく ぶたにく
④ともだち やきにくや いきました ⑤とりにく からだ
①牛 ②牛にゅう ③牛肉 ④わ牛 ⑤肉 ⑥やき肉 ⑦とり肉
p91 ①うおいちば ②さかなや さかな ③にんぎょ きいた ④かい ⑤あかがい やきざかな
①魚 ②やき魚 ③魚いちば ④人魚 ⑤金魚 ⑥貝 ⑦あか貝 ⑧貝がら
p92 ①すき ②だいこうぶつ ぎゅうにく ③かいもの ④どうぶつえん いきませんか
⑤にほん ぶっか たかい
①好き ②大好物 ③かい物 ④たべ物 ⑤どう物えん ⑥物か ⑦に物
p93 ふくしゅう
【1】1. ちゃいろ 2. どうぶつえん 3. にもつ 4. うおいちば 5. あかがい 6. ぶっか 7. げんまい
8. うし 9. こうちゃ 10. だいこうぶつ
【2】1. 好き 2. お茶 3. やき肉 4. 魚 5. 牛にゅう 6. 米 7. たべ物 8. 貝 9. かい物 10. 金魚
p94 クイズ
【1】1. 魚 2. 貝 3. 米 4. 茶 5. 肉
【2】1. 山川さん 2. 石川さん 3. 山田さん 4. 田中さん
【3】①すきな ②たべもの ③にく ④さかな ⑤すき ⑥すきな ⑦どうぶつ
れい)1. すしです。 2. 肉のほうが好きです。 3. ぞうです。

p96 アチーブメントテスト(配点:【1】【2】は各2点、【3】は各3点)
【1】1. しんぶん 2. せんげつ 3. さんぼん 4. たかい 5. そふ 6. やすみませんか おちゃ
7. おこないます 8. だいこうぶつ 9. かい

【2】1. こく立大学　2. 体力　3. 名字　4. 出口　5. 門　6. 小鳥　7. 休日　8. 花見　9. 牛肉　10. 犬
【3】①にほん　②きました　③学校　④入りました　⑤だんしがくせい　⑥女子　⑦せんせい
⑧おとこ　⑨かいもの　⑩行きました　⑪おこめ　⑫魚　⑬帰って　⑭かん字　⑮みました　⑯父
⑰母　⑱生かつ　⑲友だち　⑳大好き

●11章
p99　①はやし　②ちくりん　たけのこ　③にほん　しんりん　④もりのなか
⑤あおもりけん　ゆうめい
①林　②すぎ林　③山林　④森林　⑤森　⑥あお森けん　⑦森の中　⑧森さん
p100　①はたけ　②たはた　③いわのうえ　ひと　たって　④らいしゅう　いわやま　⑤ようがん　みた
①畑　②田畑　③トマト畑　④岩　⑤岩の上　⑥岩山　⑦よう岩
p101　①おと　おと　②ねいろ　すき　③がっこう　にほんご　はつおん
①音　②はつ音　③音がく　④音いろ
p102　①あかるい　②あけて　そと　あかるく　③せんせい　せつめい　ききます　④くらい　⑤あんき
①明るい　②せつ明　③よが明ける　④明けがた　⑤暗い　⑥明暗　⑦暗き　⑧暗ざん
p103　ふくしゅう
【1】1. もり　2. あした・あす　3. おんがく　4. たはた　5. くらい　6. せつめい　7. ねいろ　8. はやし
9. あけて　10. みかんばたけ
【2】1. 音　2. 森　3. 明けがた　4. 暗き　5. よう岩　6. 森林　7. 畑　8. 暗く　9. 岩　10. 明るく
p104　クイズ
【1】1. 森　2. 林　3. 畑　4. 岩　5. 明　【2】火 - 畑　木 - 森　石 - 岩　音 - 暗　月 - 明
【3】1. 畑　2. 暗　3. 音　4. 明　5. 林

●12章
p107　①にほんご　いって　②にほん　ほうげん　③でんごん　④なまえ　かいて　⑤じしょ　ことば
①言う　②言ば　③ほう言　④でん言　⑤書く　⑥じ書　⑦書どう
p108　①ほん　よみます　②かわぐちさん　どくしょ　すき　③なかやまさん　はなしました
④ゆうめいな　だいがく　せんせい　はなし　ききました　⑤かいわ
①読む　②読書　③音読　④話す　⑤話　⑥かい話　⑦でん話　⑧手話
p109　①たべましたか　②しょくじ　③がっこう　しょくどう　たべました　④おちゃ　のみます
⑤いんしょくてん
①食べる　②食べ物　③食じ　④食どう　⑤飲む　⑥飲み物　⑦飲食てん
p110　①おおきい　かいました　②きゅうじつ　ともだち　かいもの　いきます
①買う　②買い物　③ばい買
p111　ふくしゅう
【1】1. でんわ　2. たべもの　3. ほうげん　4. よみます　5. ことば　6. のみます　7. はなし
8. いんしょくてん　9. しょくじ　10. いって
【2】1. 食べました　2. 読書　3. 買います　4. でん言　5. かい話　6. 買い物　7. 書いて
8. 飲み物　9. 話しました　10. 食どう
p112　クイズ
【1】1. 飲　2. 話　3. 食　4. 書　5. 買　6. 読
【2】①かいもの　②いきました　③にせんえん　④かいました　⑤ゆうめいな　⑥たべました　⑦ひと
⑧なまえ　⑨かいて　⑩さんじっぷん　⑪いいました　⑫おちゃ　⑬のみました　⑭はなしました
⑮いちにち
【3】1. 読んで　2. 話して　3. 買って　4. 聞いて　5. 食べて　6. 飲んで

● 13 章

p115 ①まち おおきな おてら ②ちち ちょうちょう ③やすみ ひ したまち
④せんせい ちょうない ⑤ほうりゅうじ にほん いちばん おてら
①町 ②下町 ③町ちょう ④町内 ⑤寺 ⑥ほうりゅう寺
p116 ①でんしゃ いきますか ②でんき ③ともだち でんわ ④くるま
⑤じてんしゃ かいもの いきます
①電き ②電話 ③電車 ④電力 ⑤車いす ⑥じてん車 ⑦車内 ⑧じどう車
p117 ①がっこう ひがし にし ②とうきょう じんこう ③にしぐち おおきな ④ほくせい
⑤にしにほん おおあめ
①東 ②東口 ③東日本 ④かん東ちほう ⑤西 ⑥西口 ⑦西日本
p118 ①ともだち みなみアメリカ りょこう ②なんごく ③きたぐち
④ほっかいどう にほん いちばん きた ⑤とうほくちほう
①南 ②南口 ③東南アジア ④南ごく ⑤北 ⑥北口 ⑦北西 ⑧東北ちほう
p119 ふくしゅう
【1】1. ほっかいどう 2. みなみアフリカ 3. まち 4. とうきょう 5. でんしゃ 6. くるま 7. おてら
8. したまち 9. じてんしゃ 10. ほくせい
【2】1. ほうりゅう寺 2. 西口 3. 車内 4. 町内 5. 車 6. 東南アジア 7. 電話 8. 電車 9. 北
10. 南ごく
p120 クイズ
【1】A 電車 B（じどう）車 C じてん車 1. C 2. C 3. A 4. B 5. A 6. C
【2】1. 寺 2. 車 3. 西 4. 東 5. 南
【3】①先月 ②休み ③友だち ④行きました ⑤お寺 ⑥東きょう ⑦電車 ⑧じてん車
⑨ゆう名な ⑩食べました ⑪本 ⑫日 ⑬電話 ⑭食べて ⑮貝 ⑯買って ⑰帰りました ⑱一日

● 14 章

p123 ①まいにち 9じ じゅうにじ ②とき かね ゆうめいな ③じかん ④ぎんこう あいだ
⑤ひるま
①３時 ②12 時 ③時間 ④間 ⑤ひる間 ⑥なか間 ⑦１しゅう間 ⑧き間
p124 ①５じはん ②はんとし にほん きました ③わけます ④はんぶん
⑤よんぶんのいち たべました
①半年 ②４時半 ③半分 ④５分 ⑤分ける ⑥３分 ⑦６分 ⑧二分の一
p125 ①たなかさん いま ②こんげつ あめのひ ③なん ④いま なんじ
⑤なにか のみませんか
①今 ②今ばん ③今月 ④今しゅう ⑤何 ⑥何時 ⑦何よう日 ⑧何月
p126 ①ゆうひ ②ゆうがた あめ ③ゆうしょく たべます ④かんじ よみかた
⑤にほんご ほうほう
①夕食 ②夕方 ③東北ち方 ④夕日 ⑤読み方 ⑥書き方 ⑦方ほう ⑧方こう
p127 ふくしゅう
【1】1. あいだ 2. なに 3. くじはん 4. いま 5. はちぶんのいち 6. ゆうがた 7. とき 8. きょう
9. ひるま 10. さんじっぷん
【2】1. 今月 2. 半年まえ 3. 何時 4. 1しゅう間 5. 今ばん 6. 時間 7. 半分 8. 間 9. 分けます
10. 何か
p128 クイズ
【1】①今 ②何 ③何 ④土 ⑤何時 ⑥時半 ⑦大人 ⑧今日 ⑨電話
【2】時 分 今 間 何 【3】①なんじ ②なん ③きょう ④じかん ⑤いま ⑥なに

●15章

p131 ①しんねん ②しんぶん よみましたか ③あたらしい くるま
④せんげつ ちゅうこしゃ かいました ⑤ふるい まち
①新しい ②新年 ③新聞 ④新車 ⑤新入しゃいん ⑥古い ⑦古本 ⑧中古車
p132 ①やまださん ながいひと ②ちょうなん ちょうじょ
③ちち しょうがっこう こうちょう ④たかい やすい ⑤でんわ はなしました あんしん
①長い ②長年 ③しゃ長 ④長女 ⑤校長 ⑥安い ⑦安しん ⑧安ぜん
p133 ①こんげつ おおい ②たしょう ③たすう ひと いけん
④まち じんこう きょねん すくない ⑤すこし かんじ よむ
①多い ②多すう ③多少 ④少ない ⑤少し ⑥少年 ⑦少女 ⑧少すう
p134 ①げんき ②いちがつついたち がんじつ ③おおた もと しょうがっこう せんせい
④きょう てんき ⑤きぶん
①元日 ②元気 ③てん気 ④気もち ⑤気分 ⑥びょう気 ⑦電気
p135 ふくしゅう
【1】1. こうちょう 2. しょうじょ 3. あんしん 4. ふるい 5. おおい 6. ちゅうこしゃ 7. すこし
8. がんじつ 9. しんにゅう 10. きぶん
【2】1. 新年 2. 元 3. 安ぜん 4. 新しい 5. 多少 6. 安い 7. 少なく 8. 元気 9. 長年
10. 気もち
p136 クイズ
【1】1. 少 2. 多 3. 新 4. 古 5. 安 6. 高
【2】1. 安 2. 多 3. 少 4. 新 5. 元
【3】①こども ②なまえ ③ことし ④ながくて ⑤おんなのこ ⑥にほんじん ⑦こども
⑧すこし ⑨たかい ⑩げんき ⑪にほんじん ⑫ともだち ⑬きました ⑭はなして ⑮あんしん

p138 アチーブメントテスト（配点：【1】【2】は各2点、【3】は各3点）
【1】1. ゆうがた 2. のみ 3. じかん 4. くらい 5. なにか 6. おおく 7. あかるい 8. くるま
9. やすい 10. すこし
【2】1. 飲食てん 2. 電話 3. 東きょう 4. 買い物 5. しゃ長 6. 南口 7. 西日本 8. 森林
9. 長い間 10. でん言
【3】①読書 ②電車 ③まち ④1時間半 ⑤読みます ⑥はなし ⑦てんき ⑧きた ⑨10分
⑩古い ⑪てら ⑫はやし ⑬元気に ⑭東 ⑮やさいばたけ ⑯はたけ ⑰はなします ⑱食べます
⑲いま ⑳いいました
p140
1) 月 2) 日 3) 川 4) 木 5) 田 6) 山 7) 門 8) 人 9) 口 10) 車 11) 火 12) 子 13) 女
14) 土 15) 生 16) 水 17) 先 18) 金 19) 学 20) 本
p142
1) 上 2) 下 3) 中 4) 大 5) 小 6) 半 7) 分 8) 力 9) 立 10) 明 11) 休 12) 体 13) 好
14) 男 15) 林 16) 森 17) 間 18) 畑 19) 石 20) 岩
p144
1) 目 2) 耳 3) 手 4) 足 5) 雨 6) 竹 7) 米 8) 貝 9) 花 10) 茶 11) 牛 12) 肉 13) 物
14) 鳥 15) 魚 16) 犬

漢字マスター N5

Introduction to Kanji

2011年11月5日 第1刷発行
2018年10月5日 第9刷発行

編著者	アークアカデミー 遠藤 由美子　齊藤 千鶴　下重 ひとみ 樋口 絹子　石橋 彩　細田 敬子
発行者	前田 俊秀
発行所	株式会社 三修社 〒150-0001　東京都渋谷区神宮前2-2-22 TEL　03-3405-4511　FAX　03-3405-4522 振替　00190-9-72758 http://www.sanshusha.co.jp 編集担当　藤谷 寿子
編集協力	浅野 未華
デザイン	山口 俊介
DTP	有限会社ファー・インク
印刷所	壮光舎印刷株式会社
製本所	株式会社松岳社

ISBN978-4-384-05635-8 C2081　Printed in Japan